LES STANCES A SOPHIE

Christiane Rochefort est née à Paris dans un quartier populaire (XIVᵉ), a eu peu d'aventures remarquables sous l'aspect pittoresque qui font généralement la matière des biographies, car elle a employé presque tout son temps à s'amuser, c'est-à-dire à peindre, dessiner, sculpter, faire de la musique, des études désordonnées entre la médecine, psychiatrie, et la Sorbonne (une erreur) (n'a même pas essayé de préparer l'agrégation), à écrire pour sa propre joie, et pendant le temps qui restait à essayer de gagner sa vie pour survivre. Elle a travaillé avec des gens pénibles, bureaux, journalisme, festival de Cannes (jusqu'en 1968 et a été renvoyée pour sa liberté de pensée), et par contre, à la Cinémathèque pour Henri Langlois.
A publié : Le Repos du Guerrier, *1958, livre qui on ne sait pas du tout pourquoi a provoqué un scandale;* Les Petits Enfants du Siècle, *1961, sur l'urbanisme moderne;* Les Stances à Sophie; Une rose pour Morrison, *1966, exercice de style sur des événements à venir; et enfin, en 1969,* Printemps au parking. *Traductions : de l'anglais,* En Flagrant Délire *de John Lennon avec Rachel Mizrahi; de l'hébreu,* Le Cheval Fini, *de Amos Kenan.*

S'il faut en croire ce que raconte le poète Homère, Ulysse, célèbre pour sa prudence dans toute la Grèce antique, s'était fait attacher au mât de son navire afin de résister à l'envoûtement fatal du chant des sirènes. Faute d'avoir imité son exemple ou de s'être bouché à temps les yeux et les oreilles, Céline Rodes se laisse prendre au charme d'une sirène nommée Philippe Aignan qui lui promet le paradis pour peu qu'elle accepte de l'épouser. Cela implique, évidemment, qu'elle renonce à sa vie de bohème, à son langage cru et autres défauts qui, somme toute, ne sont pas indispensables pour être heureux, n'est-ce pas? Non, acquiesce Céline à qui l'amour tourne la tête.
Très honnêtement, elle s'efforce de devenir l'idéale Mme Philippe Aignan, charmante épouse d'un jeune cadre, nantie d'une bonne, d'un appartement, d'un vison, de relations qui sont également nanties de... etc. En apparence, c'est le parfait bonheur promis. Seulement voilà, Céline a une vue assez perçante pour aller au-delà des apparences jusqu'au fond des choses — et une langue assez effilée pour dire ce qu'elle y trouve : une façon de mort.
La sottise des hommes installés est vertement pourfendue dans cette satire percutante dont le titre est emprunté à l'une de ces chansons de corps de garde nées de la bêtise qu'elle dénonce. On ne pouvait faire avec plus de brio le « retour à l'envoyeur ».

ŒUVRES DE CHRISTIANE ROCHEFORT

Dans Le Livre de Poche :

LE REPOS DU GUERRIER.
LES PETITS ENFANTS DU SIÈCLE.
PRINTEMPS AU PARKING.
ARCHAOS OU LE JARDIN ÉTINCELANT.

CHRISTIANE ROCHEFORT

Les Stances à Sophie

GRASSET

« Quand j't'ai rencontrée, un soir dans la rue, etc... »

(FOLKLORE)

CE qu'il y a avec nous autres pauvres filles, c'est qu'on n'est pas instruites. On arrive là-dedans, sans véritable information. On trouve le machin déjà tout constitué, en apparence solide comme du roc, il paraît que ç'a toujours été comme ça, que ça continuera jusqu'à la fin des temps, et il n'y a pas de raison que ça change. C'est la nature des choses. C'est ce qu'ils disent tous, et, d'abord, on le croit : comment faire, sans références ? Parfois, on s'étonne : c'est tout de même un peu gros ; mais, pour réaliser que c'est, simplement, bête, ça demande du temps, et une bonne tête. En attendant, il faut se le faire. En particulier les bonshommes, qui sont pour ainsi dire notre champ de manœuvres naturel, et envers qui, par suite d'une loi d'indétermination malencontreuse, nous éprouvons des faiblesses qui nous brouillent l'esprit et nous jettent dans les contradictions, quand ce n'est pas dans l'imbécillité. La vérité c'est que dès qu'on tombe amoureuse on devrait mettre des boules quiès. Mais on n'est justement pas, à ce moment-là, en condition d'y songer.

Pourquoi ne te laisses-tu pas pousser les cheveux ? disait Philippe – 1 mètre 82, blond, yeux pervenche, nez adorable, bouche volontaire, front vaste et intelligent, etc. – je t'aimerais tellement mieux avec des cheveux que sans, au moins tu aurais l'air d'une femme, pourquoi as-tu encore mis des pantalons, tu sais pourtant que je te préfère en robe, si tu m'aimes disait Philippe, ne peux-tu me faire ce petit plaisir-ci. Et ce petit plaisir-là. Cela ne devrait pas te coûter si tu m'aimes disait Philippe, à quelle heure t'es-tu couchée hier, et pour faire quoi si ce n'est pas indiscret, à mon avis tu perds ton temps à te farcir la tête avec des tas de bouquins dont tu ne retiens pas un traître mot. Par contre tu n'as pas recousu ce bouton, là, à ta veste, qui manque, ne prends pas l'air surpris je te l'ai déjà fait remarquer la semaine dernière, c'est le même je le reconnais. Et moi qui sors d'habitude avec des filles toujours pimpantes, tirées à quatre épingles ! Moi qui aimerais tant être fier de te montrer ! C'est pour toi ce que j'en dis tu sais, si je ne m'intéressais pas à toi ça me serait égal que ta façon de vivre te conduise à la catastrophe, je me contenterais de prendre du bon temps avec toi comme le font la plupart des hommes avec les filles qui se disent libres, comme toi, trop contents qu'ils sont que vous aspiriez à cette liberté-là, ah ah ! pour eux c'est bien pratique et quelle économie, d'ailleurs tu dois en avoir fait l'expérience puisque tu en as tant fait. Mais il se trouve que moi je m'intéresse à toi c'est différent, alors j'essaye de t'aider, disait Philippe, toi de ton côté tu devrais faire un effort aussi, tiens ta fourchette dans l'autre main, ne ris pas comme ça c'est vulgaire, ne fais pas des boulettes c'est sale, tiens-toi droite tu fumes trop tu te noircis les dents ne bois pas tant ce n'est pas bien pour une femme, tu n'as pas bonne mine tu devrais voir un docteur, Pourquoi ne cherches-tu pas un vrai travail au lieu de faire trente-six choses qui ne te mènent à rien, ton insouciance me navre, où te conduira-t-elle, tu te ruineras la santé avec tous ces cafés-crème, Promets-moi que demain tu te coucheras à minuit, pour me faire plaisir, disait Philippe, si tu ne le fais pas pour toi fais-le au moins pour moi, je me demande ce que tu fabriques au milieu de cette bande de ratés, qu'est-ce que tu leur trouves ? Ces gens-là ne sont pas pour toi, tu vaux tout de même mieux que ça, si tu voulais me faire un grand plaisir tu cesserais de les voir ; si tu m'aimes disait Philippe, ne peux-tu faire ceci, qui me plaît, et ne pas faire cela, qui ne me plaît pas ? Ce n'est pourtant pas compliqué. Disait Philippe, et moi je l'écoutais bouche bée, je buvais ses paroles. Je leur trouvais un sens.

Et puis ça t'avance à quoi cette existence que tu mènes ? Hein ? En définitive ça t'avance à quoi ?

Que répondre ? à rien bien sûr, ça ne m'avance à rien. Ça n'est pas fait pour avancer ; d'ailleurs, avancer où ? C'est fait pour quoi ? – eh bien je ne sais pas. Tu vois, dit-il avec un bon sourire, tu vois bien que tu ne sais pas.

De fait je ne vois plus rien du tout. Cet homme c'est Attila. Là où il a passé c'est le désert. Mon cerveau est rempli de nuages. Qui suis-je. Que fait-on ici. Mystère. Ah, ces grandes pensées confuses, dit-il, Ça a l'air très beau comme ça, très poétique (?), et puis quand on y regarde d'un peu près c'est brouillard et compagnie. Brouillard et compagnie, répète-t-il, satisfait de la formule. La vie, la vie, ce n'est pas ça, la vie c'est beaucoup plus simple mon chaton, que ça. Tu n'as pas envie parfois d'avoir une vie normale ? disait Philippe.

Normale. Qu'est-ce que ça veut dire ? Qu'est-ce qui est une vie normale sur la terre aujourd'hui ? Moi je veux bien, mais qu'est-ce que c'est ?

Philippe cependant paraissait le savoir. Son assurance défiait mes incertitudes, les mettait en déroute. C'est fragile les incertitudes. Depuis que je connais Philippe, je m'effiloche. Je me dissous, je ne sais plus où je vais, je suis un grain de poussière errant dans des espaces vides ; et dans cette perdition je n'ai qu'un point fixe, qu'un refuge : ses bras. Là tout est calme, immobile, tranquille, et chaud. Là c'est la paix, et la sécurité.

Tu vois. Tu vois bien mon chaton. Que tu as besoin de quelqu'un. Que tu n'y arrives pas toute seule. Tu fais la fière mais dans le fond tu es une toute petite fille, qui a besoin comme les autres qu'on la protège. Là, là, tu vois. Tu n'es pas bien dans mes bras ?

Eh, si, je suis bien ! Eh si. Je suis bien. Voilà le malheur. Il est fort Philippe, il est solide, il est sûr. Il sait.

Il est là. Il parle. Et moi je l'écoutais, bouche bée, en robe, les cheveux tombant jusqu'aux épaules, et la fourchette dans la main gauche. J'allais chez le médecin, j'avalais des pilules jaunes. J'arrivais à l'heure, en me fondant sur la montre qu'il m'avait offerte à cet usage, et que pour plus de sûreté j'avais réglée sur l'avance. Je l'aimais. Certains soirs je me couchais à minuit pour pouvoir le lui annoncer le lendemain, toute glorieuse, et recueillir de Sa bouche les félicitations : c'est très bien mon chaton, il faut continuer, tu verras comme tu te sentiras mieux. Je me sentais mieux. Je l'aimais. Je mettais de l'ordre dans ma sacrée chambre quand il y était espéré. Il ne l'aimait pas ma chambre, mais comme il habitait l'appartement familial, il fallait bien qu'il y vienne pour coucher avec moi. Il essayait de ne pas voir ce qu'après tout le mal que je m'étais donné il appelait encore mon désordre ; de ne pas voir les trucs épinglés sur les murs, dont quelques portraits de moi peu décents dus à des mains visiblement diverses, et autres souvenirs de bataille que je n'avais pas l'hypocrisie d'ôter, et qui le chiffonnaient ; il aurait voulu ne pas voir mon lit, dont l'état d'usure portait à ses yeux témoignage d'un défilé inadmissible, en particulier il haïssait la couverture sur laquelle tout était supposé, il la trouvait d'un goût affreux et y posait lui-même après tant d'autres ses bien-aimées fesses avec des délicatesses de donzelle, jusqu'au jour où, se couvrant de raisons esthétiques et du Père Noël, il m'en offrit une toute neuve, sans traces, où il se sentit aussitôt plus à l'aise. Il m'aimait. Il voulait mon bien. Et rien ne lui paraissait incompatible avec ce bien qu'il me voulait comme ma façon de vivre, mon milieu, mes amis, mes habitudes, mes vêtements, ma coiffure, mon langage, mes goûts, mes idées, tout cela qui n'était pas vraiment moi-même — le vrai moi-même, enfoui, étouffé, caché, celui qu'il aimait, étant de lui seul connu, et destiné à être mis au jour par ses mains, tel un diamant tiré de sa gangue. Et moi je l'écoutais, bouche bée, en robe, les cheveux tombant jusqu'au milieu du dos. Et sans aucune boule quiès. D'ailleurs il a une si belle voix.

— Et en fin de compte, est-ce que tu es heureuse comme ça ?

Il n'était pas le premier à s'intéresser à moi, je veux dire de cette manière-là, que je connais bien et dont, d'habitude, je me méfie ; un intérêt éclairé, généreux, pour ma vie, pour mes occupations, voire mes pensées (?), etc. Déjà des hommes étaient entrés dans ma chambre, avaient regardé, avaient posé des questions, qu'est-ce que tu fais, comment vis-tu, de quoi, puis avaient soupiré : mon pauvre chat ! ou : mon pauvre lapin, ou chou, ou minet, selon le degré d'éducation la profession ou la mode en cours ; j'ai même entendu une fois : ma pauvre bestiole ; ça venait d'un film, récent ; ça vient toujours de quelque part. Là, on me caresse la figure, on me prend contre l'épaule. On va m'Aider. Me Protéger. Contre le vilain monde, dans lequel je suis perdue. Un pauvre chat (chien, lapin, bestiole, etc.) perdu. Les jeunes femmes en détresse ça les remue.

Moi ça m'embête. Je ne suis pas en détresse, à part le fric qui n'est pas brillant, et pour cause, j'ai horreur du travail emmerdant et c'est très difficile de trouver du travail pas emmerdant, et justement si vraiment ils s'intéressaient le mieux serait après ces belles paroles de me passer gentiment un peu de fric, en copain, puisque c'est ce qu'ils disent qu'ils sont. Mais c'est d'un soutien purement moral qu'il est question. Peut-être que le fric sortirait finalement, après un dur travail de ma part de me laisser soutenir moralement, de gémir dans l'épaule, bref de faire le truc dans les règles, patiemment. Mais s'il faut travailler alors autant se mettre carrément putain, ça rend plus et tout de suite, ou, comme c'est pas dans mon caractère (trop d'inconvénients), alors aller au bureau. Donc en général au plus vite je les rassure, si je vis comme ça c'est parce que je veux bien. C'est ma manière. Le gîte, le couvert, le lainage. Point. De la sorte j'ai pas besoin de me faire chier énormément. C'est ma manière. Je ne me plains pas.

Ah bon. Ah bon si tu ne te plains pas moi j'aurais tort. Ah bon. Les généreuses pensées rentrent au fourreau, le regard, humide de bonté, redevient opaque, toute une chimie s'opère en un instant, – je ne sais pas si je me fais bien comprendre mais ça ne fait rien j'ai l'habitude. D'ailleurs c'est assez mystérieux : qu'est-ce qui s'est passé au juste ? C'était pourtant simple ; eh bien, ça ne l'est pas. Non. C'est compliqué. Il paraît qu'on ne parlerait pas de la même chose. Il y aurait un Dispositif en place, qu'il faudrait connaître, dans lequel il faudrait s'insérer ; J'aurais fait gripper la machine. Bon, que ça grippe, je m'en fous. Au suivant de ces messieurs, il y a abondance.

Mais Philippe, je ne m'en fous pas. De Philippe, il n'y a pas abondance. Il n'y en a qu'un : celui-là ; qu'un, qui ait ces yeux ces mains cette voix-là, et cette faculté de m'émouvoir au bon endroit qui m'a fait complètement oublier que d'autres jadis eurent la même.

Et que j'appelle l'Amour.

– Allons, oui ou non, est-ce que tu es heureuse comme ça ?

Quoi répondre. Oui ou non. Heureuse. Qu'est-ce que ça veut dire. Est-ce que je sais. Heureuse. Non, bien sûr. Et après ?

– Mais je m'en fous d'être heureuse !

– Allons allons. Tu serais la seule. Tout le monde veut être heureux.

– Moi, je m'en fous.

– Etre malheureux tout exprès pour ne pas être comme tout le monde, c'est pousser l'originalité un peu loin ne trouves-tu pas ?

– Mais Philippe... c'est pas ça... ça m'est égal d'être comme tout le monde ou pas, mais si tout le monde c'est des cons...

– Ça y est, voilà l'étendard de la révolte. Qu'est-ce que tu lis ces temps-ci mon chat ? Mao Tsé Tung ?

– France-Dimanche ! Merde à la fin ils me font –

– Et le vocabulaire à l'avenant.

– chier avec leur bonheur ! Le Shah est heureux, la Princesse est heureuse, l'emballeur est heureux, c'est une vraie manie qu'ils ont tous. Hier j'ai acheté du beurre, ça s'appelait Bon Beurre Porte Bonheur, non je te jure c'est pas une blague ! Il y a aussi des lampes, du Bonheur, il paraît que dès qu'on les allume on est heureux. C'est la grande mode. Ils furent tous heureux et eurent beaucoup d'enfants heureux. Avec la bombe atomique sur la tête. En attendant que ça tombe. Merde.

– Toi et ta bombe. Tu la mets partout.

– Moi, je la mets partout ? C'est moi qui la mets ? Merde alors. Je l'ai peut-être inventée ?

– Oh écoute, tu ne pourrais pas faire une phrase sans y mettre merde ? c'est monotone à la fin.

– C'est pas moi, c'est le sujet qui veut ça.

– Quoi le sujet ? Je te parle d'être heureuse, je ne vois pas en quoi ça exige cet ingrédient.

– Moi si. Le bonheur, merde.

– Ah bon. Il soupire. Dans ce cas je n'ai plus qu'à m'en aller. Je ne vois pas ce que je fais ici. Moi qui ne songe qu'à te rendre heureuse. Qui n'ai qu'une pensée : ton bonheur. Il repose son pain, qu'il émiettait ; son regard se détourne de moi ; le soleil se voile, la terre s'obscurcit. J'ai fait une faute. Je me suis exprimée. Je n'aurais pas dû. Pourquoi ne puis-je tenir ma langue ? Je sais pourtant ce qui arrive chaque fois. Ce qu'il faut quand on est amoureux c'est non seulement des boules quiès dans les oreilles mais du sparadrap sur la bouche.

– Je ne sais vraiment pas pourquoi je m'intéresse à toi... Tu es décourageante, tu sais...

Mon dieu, s'il vous plaît, faites quelque chose. Il va partir. A jamais. Et moi, que ferai-je ? Que ferai-je sans lui ? Les jours vides, les nuits...

– Et moi je commence à me décourager... A me demander si je ne perds pas mon temps. Alors que. Soupir. Vois-tu Céline, j'en suis arrivé à un moment crucial dans la vie d'un homme. Le moment où il faut prendre des Décisions. Des décisions sérieuses. Et il se trouve que ces décisions dépendent, en partie, de toi. Et toi ! toi...

Aïe.

– Toi tu es là, sans rien voir, ou alors si tu vois c'est encore pire c'est que tu t'en fous comme d'une guigne de ce que je peux faire ou ne pas faire, que je sois là ou pas, je ne suis qu'un parmi d'autres...

– Philippe...

– Qui passe dans ta vie. Alors que moi je songe à te garder près de moi – toujours –

Aïe, aïe, aïe, aïe. Oh mon cœur. Oh, ma faiblesse ! Oh ce mot ! Pourquoi suis-je molle, soudain sans forces ? Qu'est-ce qu'il y a donc dans ce mot ? Quelle magie – quel poison ?

– ... que je lutte pour ça tous les jours... Contre ma mère ; contre mon père ; qui avaient formé pour moi d'autres projets je peux te dire, et ne cessent de me harceler ! Le nombre de filles avec avantages et tout que ma mère a pu me jeter dans les jambes... et que je n'ai même pas regardées... Est-ce que tu crois que ce n'est pas un sacrifice pour moi, une telle décision ? Et il faut encore que je lutte contre toi ? Je ne tiendrai pas éternellement tu sais. Je te préviens.

Aïe.

– Si tu ne veux pas être heureuse, je ne peux tout de même pas te forcer...

Tralala. Le bonheur, avec des cornes et un pied fourchu, me guigne au tournant de la route. Au milieu du chemin de notre vie. La Tentation. La Liberté, ou l'Amour ! Le couteau sur la gorge. Et au nom de quoi, la repousser ? La liberté. La liberté de quoi ? La liberté. De quoi ? de quoi ? Tu as vingt-sept ans, dit Philippe, il serait temps de savoir ce que tu veux faire, dans la vie. Pour les rêveries fumeuses, tu as un petit peu passé la limite d'âge, dit Philippe. Il serait temps, il serait temps. Ou bien tu risques de te réveiller trop tard pour t'apercevoir que tu as loupé le coche (quel coche, quel coche ?).

– Je vois que tu ne dis rien. Si c'est tout l'effet que te font mes paroles...

Il faut absolument que je dise quelque chose. Absolument.

– Philippe...

Un peu court toutefois. C'est aussi son avis.

– Oui ?

– C'est pas que je veux pas être heureuse c'est pas ça que je voulais dire...

– Alors c'est quoi ?

– Je voulais dire... (s'il vous plaît, un peigne) c'est pas de ça qu'il s'agit... dans la vie...

– Ah. Et il s'agit de quoi alors ? – Réponds ? – Hein ? – Il s'agit de quoi dans la vie ?

– Euh. Je ne sais pas.

– Ah bien. Ça évidemment si tu ne sais pas de quoi il s'agit ça vaut la peine de souffrir pour, tous les jours de ton existence. De sacrifier ton bonheur. C'est beau de souffrir pour ses idées. Qu'est-ce qu'il y a ? Mais voyons qu'est-ce qu'il y a Céline ? mais tu pleures ?

Qu'est-ce que je peux faire d'autre ? Vraiment qu'est-ce que je pouvais faire d'autre ? Je ne sais pas, moi, c'est vrai, de quoi il s'agit ! Je suis en plein cirage, je n'y comprends rien.

– Voyons mon chaton...

Il sourit. Il a puisé de nouvelles forces dans le

constat de ma faiblesse. Il est content. Il prend ma main.

– Voyons tu ne vas pas te mettre à pleurer comme ça devant tout le monde ! Les gens vont croire que je suis un méchant, un tortionnaire !... Enfin est-ce que tu crois que je cherche à te faire de la peine, moi ? J'essaye seulement de mettre un peu d'ordre dans cette petite tête. Il caresse ladite. C'est plein de fausses idées, qui te font du mal. Qui cachent les vraies choses qui y sont. Et moi...

Sa main enferme la mienne. Voilà les huîtres, il la retire, pour attraper son plat.

– ... et moi, vois-tu, il avale une huître, je ne veux pas que tu te fasses du mal ; il avale une huître. Inutilement. Il avale. J'ai envie que tu sois heureuse. Il avale. Même malgré toi. Il avale une huître. Et toi, tu pleures ! Allez, mange, elles sont délicieuses. Il avale. Tu te débats comme si je voulais t'administrer du poison. Je suis du poison ? Il avale une huître. Il soupire. La vérité c'est que tu ne m'aimes pas.

– Oh Philippe !...

Il avale deux huîtres.

– Alors ? Alors pourquoi refuses-tu de t'abandonner à tes sentiments ? Pour des principes ? Lesquels ? Tu ne le sais même pas ! Pourquoi essayes-tu d'étouffer ce qu'il y a de meilleur en toi ? Je le sais, moi, ce qu'il y a de meilleur en toi. Il avale une huître.

– Ah ? Qu'est-ce que c'est ?

– Tu es une femme.

C'est là qu'ils sont merveilleux.

★

Je le regarde. Si je lui disais moi supposons, Je sais ce qu'il y a de meilleur en toi, c'est que tu es un homme. Alors, ça voudrait dire quoi. Ce qu'il y a de meilleur en toi c'est que tu es un homme. Voyons. Ce qu'il y a de meilleur dans une banane c'est que c'est une banane. Dans le fond c'est assez vrai. Mais une banane est vraiment une banane. Le cas est simple. tandis qu'un homme –

– A quoi penses-tu ?

– A rien.

Avec l'expérience on devient prudent. Le sparadrap. Puisque le danger semble écarté, que Philippe est encore là, qu'il mange des huîtres avec pas du tout l'air de songer à bouger de sa chaise, je n'ai qu'à me tenir.

– Mais si. Je vois bien que tu penses. Je vois toujours quand tu penses.

– Je pensais aux bananes.

– En mangeant des huîtres ?

– Au fait c'est vrai qu'elles sont bonnes. Ce qu'il y a de meilleur en elles, c'est les huîtres. J'en veux encore.

– Ça ne va pas te faire de mal ?

– Penses-tu, j'ai un estomac de fer.

– On dit ça, et puis on le paye plus tard.

– Plus tard, bah.

– Tiens, tu n'as pas dit merde.

– Tu vois. Je progresse.

Il rit. Il est content. Il commande d'autres huîtres.

– Je voudrais aussi d'autre vin.

– Quoi, tu as déjà sifflé toute la bouteille ?

– Comment, j'ai ! Et toi ?

– Tu sais bien que je touche à peine au blanc. Par contre toi, tu y touches beaucoup il me semble... si tu comptes finir une seconde bouteille avant le Brouilly...

– Je ne prendrai pas de Brouilly, je continuerai sur celui-ci ; j'ai horreur des changements de crus dans un repas.

– Mais avec le coq au vin ! Tu ne vas pas boire du Sancerre avec le coq au vin !

– Pourquoi ?

– Mais voyons... avec le coq au vin on prend du rouge... Et puis de toutes façons tu bois trop ; pour une femme.

– Et qu'est-ce que c'est une femme ?

– Ah ah, tu y reviens. Eh bien, c'est ce que tu ne veux pas être, dit-il, plaisamment.

– Moi ?

– Oui, toi !

Il rit. Il est content. Il sait de quoi il parle : un, ce que c'est qu'une femme, deux, que je ne veux pas l'être. Moi. Moi qui depuis plusieurs mois dans ses bras (sans parler des autres avant alors n'en parlons pas) – je Refuse mon Destin de Femme.

– Mais oui, confirme-t-il avec un bon sourire, tu ne veux pas être une femme.

Le malheur c'est que du fait qu'on dispose de la parole on est constamment tenté de la prendre ; alors que ce serait tellement plus malin de se taire. Ça ne devrait pas être si facile tout de même ; ça ne devrait pas pouvoir sortir comme ça sans y penser, une certaine dose de quelque chose devrait être exigée pour que la langue se lève ; sans aller jusqu'à un bœuf, une certaine dose de quelque chose ; par exemple, pour pleurer, il faut une certaine dose de tristesse au départ ; ou bien être du métier, ce qui n'est pas facile non plus.

Mais parler, n'importe qui se permet n'importe quand n'importe comment, et n'importe quoi. Mais aussi, que faire pendant qu'il ne se passe rien. Il y a des vides. Les mots, ça remplit. Même aimer, ça n'occupe pas toutes les secondes de la vie paraît-il ; dans le fond, on est pauvres. En attendant la suite, me voilà en train de demander une définition, qu'est-ce qu'il entend, lui, par « une femme » ; parce que, moi, je m'en sens parfaitement une et ça me satisfait bien. Alors je voudrais savoir ce que lui. Il a une définition ; le machin est à tiroirs j'aurais dû le savoir. Une femme est faite avant tout pour aimer. Ah ah. il faudrait maintenant une définition pour Aimer, et il y aurait encore un tiroir, également vide et contenant un tiroir, vide aussi.

– Mais j'ai passé ma vie à ça ! (Le sparadrap ma fille, le sparadrap ! Trop tard).

Ah mais non. Pas comme j'ai fait. Comme j'ai fait ce n'était pas vraiment aimer. Ça porte au reste un autre nom (j'avais oublié, avec les autres, on couche) et puis je ferais aussi bien de ne pas le rappeler, il n'y a pas tellement de quoi se vanter, outre que ce n'est rien d'agréable à entendre pour Celui qui est là présent et qui constamment, par courtoisie pour moi, s'efforce de l'oublier. Et, puis-je dire ce qui m'en reste ?

– Rien.

– Alors tu vois. Ça t'a avancée à quoi ?

– Alors puisqu'il ne m'en reste rien ça devrait pas te gêner non plus.

– Voilà, tu raisonnes.

Je raisonne.

– Et toi, qu'est-ce que tu fais ?

– Moi, dit-il, je parle sérieusement. Du moins j'essaye. Et j'ai du mérite, parce qu'avec toi ce n'est pas commode.

– Parce que je te réponds quand tu parles ?

– Tu vois. Tu continues.

– Mais Philippe...

– Tu vois : « mais ». Toujours mais.

– Mais enfin Philippe !...

– « Mais ».

– Mêêêê, Mêêêê !

– Voyons, tiens-toi un peu, on va penser que je suis avec une folle.

– Tu es avec un mouton. C'est pas ça que tu veux ?

– Tu dis des bêtises.

– Je suis une femme, j'ai le droit !

– Oh, mais pas celui d'abuser ! dit-il ; mais ravi.

– Et comment saurais-je, pauvre fille, quand j'abuse ?

– Quand je te le dirais.

– Ah bon. Comme ça au moins c'est simple.

— Eh oui, dit-il. C'est simple. Tu vois. Très simple.

Il répète : c'est très simple. Il me regarde sans parler un instant, et reprend :

— Et ça ne te dit rien, cette simplicité-là ? Ça ne te dit rien ? Tu n'y as jamais goûté. Tu n'as jamais voulu, y goûter. C'est toute une part de la vie, que tu ignores. Il y a pourtant dans l'abandon total à l'amour, que tu refuses si farouchement, de grandes joies. Dont tu te prives. Que tu risques de ne jamais connaître...

— Mais — c'est le Carmel !

— Le Carmel avec un homme qu'on aime, ça te fait donc si peur ? Mais si tu m'aimais vraiment Céline, ce serait le paradis à tes yeux, ce carmel-là ! Ton plus cher désir ! Si tu n'en veux pas c'est très simple, c'est que tu ne m'aimes pas. Que dis-tu, alors ?

— Philippe... Je t'aime...

— Alors ? Veux-tu m'aimer — complètement ? ou alors, moi, vois-tu...

— Mais pourquoi Philippe... pourquoi ne peut-on continuer...

— Parce que moi je ne triche pas ! Parce que, moi, je ne joue pas, avec l'amour ! Toi, tu triches ! Tu joues ! Tu ne te donnes pas, tu te prêtes ! Et moi le prêt, ça ne m'intéresse pas ! Tu peux te reprendre, si tu ne t'es que prêtée ! Et dès maintenant ! Tu n'as toujours pas répondu, à la question que je t'ai posée tout à l'heure ! Elle était pourtant claire ! En tout cas moi je ne peux plus attendre. C'est oui, mais alors tout à fait. Ou bien — ou bien tu pourras de nouveau vivre à ta guise. Retourner à la liberté qui t'est si chère. Diriger ta vie toi-même, avec les brillants résultats qui en sont sortis jusqu'à présent. N'est-ce pas ? A vingt-sept ans, c'est un bel âge pour s'y mettre. On a déjà une bonne mesure de ses capacités. On peut dresser son petit bilan. De réussite, ou d'échec. Je ne sais pas comment tu établis le tien... Mais Céline... qu'est-ce qui t'arrive ? Que fais-tu ? Où vas-tu ? ...

Où je vais ?

– Je crois que j'ai bien fait de venir. Je me doutais bien que je te retrouverais dans cet état. Céline. Céline voyons. Regarde-moi. Mon pauvre petit. Ces pauvres yeux...

Il va chercher des serviettes mouillées, me les passe sur le front. Il s'est assis sur le bord du lit, où je suis effondrée, la tête dans les oreillers.

– Calme-toi. Voyons. Calme-toi. Je suis là. Tu veux bien que je sois là ? Viens. Oui, cache-toi contre moi. Là tu es en sûreté.

Je l'ai fui – et puis je n'avais plus rien. Mes vingt-sept ans, et rien. Rien dans les mains. Rien. Et même plus lui. Rien.

– Là, là, voyons, c'est fini maintenant c'est

arrangé, tout va aller comme sur des roulettes tu verras. Calme-toi. Voyons. Ah, j'ai bien fait de réfléchir, de ne pas prendre ta fuite au sérieux, de ne pas désespérer... J'étais désespéré d'abord tu sais. Je tiens à toi... très fort... Me passer de toi, ça n'aurait pas été si facile tu sais... Quand je t'ai vue partir... Tu es partie comme une petite bête affolée, tu as tout laissé, ton sac, ton manteau. Et avec ce froid. C'est ce qui m'a fait me raviser. Voyons Céline, essaye de te calmer. Pourvu que tu n'aies pas pris mal... Tu es brûlante...

Il va chercher de l'aspirine, d'autres serviettes ; il me berce.

Il n'en attendait pas tant.

– Il fallait que ça crève un jour ou l'autre. Je savais bien que tu en avais gros sur le cœur. J'y ai mis le paquet mais il le fallait, il fallait que ça crève cet abcès, ça te faisait trop mal. Pleure, pleure, ça fait du bien. Je savais que j'en viendrais à bout, que la forteresse finirait par tomber. Ah, tu t'es défendue !... Eh bien quel arriéré mon pauvre chéri. Tu te rends compte de ce que tu gardais là au fond. Qui t'empoisonnait. Mon pauvre petit amour. Tu vois que tu as du cœur, si fort que tu t'en défendes. Mon pauvre chaton. Voyons, voyons. Calme-toi. Essaye de te calmer. Je suis là. Je reste là. Je t'aime. Tu n'as plus à avoir peur.

Le matin, il appela le médecin.

– Je suis là. Je ne te quitterai plus.

Ah mes amis pardonnez-moi je suis perdue.

Le jour du mariage on est toujours de mauvaise humeur. Lui aussi. Il grogne parce que le maire a fait un discours idiot. Selon lui. Qu'est-ce qu'il attendait, c'est un mariage, ce n'est pas un Prix Nobel. Le maire a fait un discours normal. Les choses ressemblent à ce qu'elles sont. L'étonnant est qu'il s'en étonne plus que moi. Moi je souris. Il me demande pourquoi je souris. Je lui dis que c'est drôle. Il n'insiste pas. Une femme qui vient de faire une dépression nerveuse et de coûter deux cent mille balles de clinique se manie avec précautions. Hier il m'a demandé Est-ce que tu es heureuse, et ça s'est mis à couler. Je ne serais pas encore tout à fait guérie paraît-il. C'est pour ça aussi probablement qu'il n'a fait aucune réflexion sur mon habillement (je ne vois pas d'autre mot).

Qu'est-ce qui m'a pris ? Pourquoi, entre mille, ai-je été choisir ce tailleur ? Je n'avais pourtant pas à lésiner, il m'avait ouvert un crédit somptueux, avec la consigne, implicite : Pour une fois fais un effort. Je l'avais fait.

En me regardant une dernière fois dans la glace le matin, avant le Départ (Adieu petite chambre), je me suis aperçue que j'étais en grand deuil. Comment avais-je fait ? Ce chapeau, là, sur ma tête. Je l'avais pourtant essayé, j'en avais essayé cinquante. Eh bien j'avais choisi celui-là. Je suis vraiment formidable. D'emblée, sans savoir, j'avais découvert comment on se met pour un enterrement de tante à Romorantin. Et encore avec les prix uniques je suis sûre que maintenant ils font mieux. Justement moi pour une fois que je n'y étais pas allée, au prix unique. J'avais visé plus haut. Ça m'apprendra.

Mais quoi faire, à présent ? On ne va pas à un mariage, surtout le sien, en pantalon et motor coat. Je n'ai rien à me mettre, et le peu est dans les valises. Il était désespérément trop tard. Je me suis dit : je n'y vais pas. Nous avons de ces blocages, nous autres femmes, touchant à l'esthétique, des décisions délirantes peuvent être prises sur du chiffon. La pensée que Tout serait à recommencer m'a pourtant remise sur pied. J'ai séché mes larmes, et le rimmel que pour accentuer l'effet mortuaire j'avais cru bon de mettre, exceptionnellement ce jour-là. J'étais hideuse, je n'avais qu'une solution, ne pas me regarder dans une glace de toute la journée. J'étais en retard, la voiture attendait, ainsi que mon témoin, puisque moi je n'avais pas de famille.

Lui en avait. Il fallu bien qu'elle me vît arriver. Je contemplai dans leurs regards l'image de mon désastre ; dans les siens à lui, sa honte. Il ne s'attendait pas à ça. Moi non plus, mais comment lui dire ? Personne n'allait aborder le sujet, par délicatesse. Ah, comment passer inaperçue ? Ce n'est pas facile quand on est la mariée.

La Mère est littéralement saisie par la pitié. Pauvre fille (moi). Son fils épouse une pauvre orpheline, qui ne sait même pas s'habiller. Ce sont des choses auxquelles il faut se résigner, quand on a des enfants. Ils vont vous ramasser n'importe quoi, et de nos jours avec cette confusion des classes on ne peut même pas se formaliser sans passer pour rétrograde. Elle songe aux Jeunes Filles autrement bien qui n'auraient pas demandé mieux, un beau garçon comme Philippe, et on aurait eu un Vrai Mariage avec annonce dans le Figaro, peut-être même photo, au lieu de cette honteuse intimité qui sent la régularisation. Elle songe aussi, deuxième temps, que parti comme il était ce naïf, pris au piège des sens, il aurait pu pêcher une putain de métier et tout de même il n'a pas été jusque-là. Elle m'embrasse avec une profonde tristesse. Elle porte un manteau grège, en soie sauvage ; sa sœur Irène est en shantung pastel ; Stéphanie en blanche broderie anglaise comme il sied à son âge ; et ma propre Camille, mon témoin et unique soutien — pas ma meilleure amie mais la plus présentable, à qui je m'en étais tenue dans l'intérêt général, pour faire tache je suffisais et puis pour ce qu'on se marre, inutile d'en faire profiter les copains – est dans un adorable machin rose flambant tout neuf, et on la prend partout pour la mariée : comment irait-on la supposer dans cette cousine de province, frappée par un deuil récent, et qui cherche à se dissimuler ? J'ai surpris, posé sur Camille, un regard nostalgique de madame Aignan : si encore il avait plutôt pris celle-là ! – Bref il n'y a que moi, que moi en noir au milieu de cette floraison d'hortensias, moi en lainage noir dans ce matin radieux, en plein printemps, et pour comble il fait beau. Je souhaite qu'il pleuve, ardemment. Du reste la superstition ne dit-elle pas qu'il doit pleuvoir sur un mariage pour qu'il soit heureux ? Sur celui-ci il ne tombera pas une goutte de la journée.

Cette journée. Déjà on y arrive rendu. Les papiers ; moi la vue d'un papier ça me fout la colique. Les courses : ce qu'il faut acheter de choses pour se marier c'est incroyable ; et pourquoi. Les visas : faut filer sitôt le truc fait, il paraît que ça ne peut pas attendre, comme si la mairie était un moteur à réaction. Le Notaire ; la Séparation ; ça c'est le plus coquin : on s'unit et juste en même temps on se sépare ; et pour séparer quoi ? ses Biens à lui de mes Non-Biens à moi ; Amour éternel mais tout de même des précautions en cas, Abandon Total mais minute, pas de tout ! J'ai apprécié le Notaire. Je sortais de clinique, ça m'a immédiatement retapée ; je savais tout de suite où j'étais. Avec tout ça je suis arrivée au mariage quasiment les pieds devant. Ces choses-là me tuent. Non jamais je ne recommencerai c'est sûr. Ou bien je prendrai un secrétaire et je me ferai représenter.

Hier, j'ai été me confesser. Pour le bulletin. Je lui dis : Qu'est-ce que je vais bien pouvoir lui raconter à ce type ? Donne-moi une idée.

– Ecoute, ce n'est tout de même pas à moi à te dicter tes confessions !

– Qu'est-ce que tu vas lui dire toi ?

– Mais ça ne te regarde pas !

Ma parole, aurait-il l'intention de le faire sérieusement ? Ses propos antérieurs me l'avaient fait supputer libre-penseur, et il est au parti radical ; le moderne, mais tout de même.

– Bon, je dirai que j'ai maraudé des pommes. Sinon on en a pour six mois. Et il me refusera l'absolution. Et le bulletin. On est bien obligé d'inventer. Je vais lui lire Joyce. Et puis je ne sais même plus le Confiteor. Je confesse à Dieu tout-puissant à Jésus-Christ son fils unique à la bienheureuse vierge Marie vierge et mère et à tous les saints, je confonds sûrement avec le Credo, que j'ai beaucoup péché, par pensée, par paroles et par actions, là ça va mieux, mea culpa mea culpa...

– Ecoute, est-ce vraiment indispensable ?

Il est nerveux comme un deuxième assistant de film et manque emboutir le 32, qui le traite d'enculé. Je ris. Ça ne lui plaît pas que je rie. J'en profite pour dire que j'entends un cliquetis dans le moteur, c'est ce que je pratique quand un conducteur fait l'andouille à côté de moi. Ça les calme. Je suis désespérée mais j'ai horreur de mourir bêtement. Il écoute sagement son moteur jusqu'à la place Saint-Sulpice. Ma paroisse, à ce qu'il paraît. J'hésite au seuil de l'édifice. Je sais qu'il y fait froid. La seule fois que j'y suis allée c'était pour rattacher mon bas, qui avait lâché. Il y faisait froid.

Je dis : ça m'embête d'aller là. Pourquoi tout ce cirque ?

— Tu sais bien que c'est pour mes parents. Nous avons déjà réglé cette question en son temps, je ne vois pas pourquoi tu la reposes maintenant.

— Parce que je suis devant. Mais ils sont vraiment religieux tes parents ?

— Un mariage civil les embarrasserait. Or je ne vois aucune raison de les embarrasser.

— C'est effrayant.

— Quoi effrayant ?

— Alors si tu as des enfants ils se marieront à l'église pour ne pas t'embarrasser ? Et comme ça le truc continue jusqu'à la fin des temps, Dieu personne sait plus qui c'est mais le truc continue. Et tu ne trouves pas ça effrayant.

— Qu'est-ce que tu vas chercher.

— Dieu dans une église je vais chercher, ça n'a rien de bizarre non ?

— Mais la question n'est pas là ! Il s'agit d'un bulletin de confession, qu'il faut avoir. C'est tout simple. Ce n'est pas de la métaphysique. Tu ne changeras donc jamais ? Entre, on ne va pas rester sur ces marches jusqu'à ce que tu aies la révélation. Nous avons encore beaucoup à faire aujourd'hui.

— Ça m'embête. C'est moche de faire ça.

– Ecoute, il fallait t'en aviser plus tôt.

– C'est maintenant que je le sais. C'est mes pieds.

– Si tu fais de la métaphysique avec tes pieds je ne m'étonne plus de rien. En tout cas il est trop tard, les papiers sont faits, le rendez-vous est pris. C'est même payé.

– Oh alors si c'est payé. Bon. Tout de même, me faire foutre les pieds dans une église non je te jure il faut que je t'aime. Sérieusement Philippe, je te prie de prendre ça comme une preuve d'amour.

– Mais ma chère amie voyons sois un peu logique : ou tu n'accordes aucune importance à ces choses-là comme tu le prétends et par conséquent il t'est indifférent de mettre les pieds comme tu dis dans une église, ou bien, si cela ne t'est pas indifférent, c'est que tu accordes de l'importance et en ce cas cesse de jouer les esprits forts. Sois donc un peu honnête.

Après ça je n'ai plus qu'à la boucler.

– Tu sais ce que je venais faire la dernière fois que je suis entrée là-dedans ?

– Non et je ne veux pas le savoir. Une fois pour toutes je te fais grâce de ce genre de confidences.

Qu'est-ce qu'il a pu s'imaginer ?

★

Les cloches sonnent. Il fait beau. Je suis mariée.

– Tu n'as pas l'air gai, dit Camille ; qui s'emmerde aussi du reste, c'est une vraie vacherie de l'avoir mise là mais il fallait bien quelqu'un.

– Je n'aurais pas dû me marier à l'église.

– C'est bien toi ça. En sortant.

– Comment voulais-tu que je le sache avant.

Je n'aurais pas dû abjurer pour faire plaisir à Madame Aignan. Madame Aignan ne vaut pas une abjuration. Personne d'ailleurs. Je n'aurais pas dû c'est tout. J'ai commis une faute. Mais, à quel Dieu en demander pardon et grâce ? Les chrétiens ont de la chance, ils ont quelqu'un. Nous on doit se débrouiller seuls. Je ne vais pas me pardonner ça. Ce n'était pas vrai, son raisonnement. Je me suis laissé avoir. Et maintenant faudra-t-il pour être en règle aller me faire excommunier à Rome ?

Ils disent que l'amour excuse tout. Je n'en suis pas sûre. Allons, en route. Philippe – tiens, il est là ? – m'ouvre la portière avec cérémonie. Je crois que mon bas a craqué. Du calme, il n'y a plus que le déjeuner à tirer. Et après, la vie. Chauffeur, au Carmel.

– En tout cas nous avons une belle journée, note Irène, quand nous nous déversons tous en tas chez les Aignan, où se fait le déjeuner, puisque la mariée n'a pas de famille. Pas un nuage, dit-elle. C'est rare à cette saison. Nous avons de la chance, conclut-elle.

– Est-ce qu'il ne faut pas plutôt qu'il pleuve à un mariage pour que ça marche ? dit Bruno, que les noces de son Aîné ne semblent pas porter à la charité. J'ai entendu dire ça.

– Je ne sais pas où tu as pu entendre dire ça, lui répond sa mère. Ça n'existe pas. Tu as dû l'inventer.

– Je l'ai entendu, dit Bruno.

– Moi aussi maman, appuie Stéphanie.

– Ce sont des histoires de bonnes femmes, dit leur mère avec un regard furieux auquel les chérubins paraissent peu sensibles.

– Peut-être à la campagne, dit Irène pour arranger les choses.

– Non c'était au cinéma, dit Stéphanie.

– Je veux dire, précise Irène, c'est peut-être vrai à la campagne, où le climat a beaucoup d'importance. Pour l'agriculture. Mais ici...

– Vous n'êtes pas trop fatiguée Céline ? interroge madame Aignan pour tenter d'écraser le coup.

Je suis abrutie. Vannée. Qu'ai-je donc tant fait, rien pourtant. Me marier. Où est Philippe ? Il parle avec son père. Si on veut ne plus se connaître il suffit de se marier. Quand je pense qu'autrefois nous couchions ensemble ! Quand je le voyais arriver dans ce temps-là, mon cœur sautait de joie. Qu'est-ce que je fais là ? Je ne connais personne, sauf Camille, à qui je m'accroche comme une huître.

– Tu as l'air perdue ma pauvre.

– Je le suis. Je ne connais personne ici. Si on allait ailleurs ?

– Ça te va comme un gant à un poisson rouge d'être mariée. Comment as-tu fait ?

– Je ne me souviens plus bien. Il y avait une histoire affreuse, avec des huîtres. Après j'ai dormi. Je pense qu'il s'agit d'un électro-choc. Je me suis réveillée ce matin, en grand deuil ; trop tard, la messe était payée.

Réveillée c'est beaucoup dire. Venez vous mettre un peu à votre aise, dit madame Aignan, qui en a marre de me voir plantée comme un pot. J'ôte ma veste, et j'apparais dans un chemisier façon romantique avec des godets ; quelque chose comme Harpo Marx dans le rôle de Sissi. Qu'est-ce que j'ai été foutre d'acheter ça encore ? Qu'est-ce que je croyais ? Que l'habit allait faire le moine ? Dans le fond c'est une tragédie de la bonne volonté : j'ai vraiment essayé de m'habiller en mariée, et je ne suis pas douée. J'ai remis ma veste ; c'était encore plus moche en dessous ; ou alors que je me mette à poil. J'ai surpris le regard de madame Aignan arrêté à la hauteur de mon ventre. Evidemment. Elle s'attendait à y compter dans les cinq mois ; on ne pouvait épouser ça que pour ce motif. Eh bien non chère Madame, je suis plate comme un cahier, j'ai de l'hygiène et des principes. Alors ce doit être par pitié répond-elle (je suis télépathe dans les cas simples), une pauvre fille malade à la clinique cure de sommeil, dépression nerveuse soi-disant qui en vérité devait être une tentative de suicide destinée à raccrocher mon garçon prêt à la quitter pour une de ces innombrables jeunes filles qui ne demandaient que ça — et qui par parenthèse chère Madame viennent se faire trombonner sereinement par les beatnicks de service dans les partys au quartier, j'ai même dû en croiser quelques au hasard des salles de bains, et loin de moi l'idée de le leur reprocher — bref mon pauvre garçon n'a fait que céder à un chantage pense la mère. Je lui souris. Chère Madame votre fils m'épouse par amour, c'est triste mais vrai.

Sans le chapeau, c'est tout de même un progrès. Je me peigne avec les doigts comme d'habitude. Je me reconnais presque. Je noie mon whisky dans un demi-litre d'eau. J'ai soif. A qui demander où sont les waters ? Je demande à Stéphanie ; à son âge on comprend encore la vie. Elle me précède dans un interminable couloir.

— C'est encore loin ? je peux à peine marcher. Je ne pense qu'à ça depuis la mairie.

— Même en disant Oui ?

— C'est là que ça m'a pris.

Elle retourne vers moi un visage étonné : mon apparence serait-elle trompeuse ? Ses yeux m'interrogent ; beaux yeux insolents, auxquels je tâche de répondre. Enfin on arrive aux lieux. Quand j'en ressors, elle m'attend : des fois que vous vous perdiez ; ça va mieux ? Oui, maintenant je vais pouvoir boire. Pour oublier ? dit-elle. Je ne sais pas, je ne sais même plus ce que j'ai à oublier. Elle rit. Qu'est-ce que vous faisiez avant ? C'est curieux les gamines. Avant quoi ? Avant d'épouser Philippe. Du strip-tease. Oh, dit Stéphanie admirative, je comprends pourquoi maman fait la gueule. Elle ne le sait pas, dis-je, on le lui a caché. Je comprends, dit Stéphanie, ça valait mieux, je lui dirai pas comptez sur moi. Oh maintenant ça n'a plus d'importance dis-je, je ne vais pas continuer je crois,

Philippe ne veut pas, il dit qu'il gagne assez pour deux. Ça rapporte beaucoup, le strip-tease ? Oh, on peut vivre. C'est drôle que vous épousiez Philippe, dit-elle. Oui, n'est-ce pas ? c'est aussi ce que je pense.

A notre entrée dans le salon des sons sinistres retentissent : Tam, tam, tatam, tam tatam, tatam, tatam...

– Bruno ! s'écrie la mère, qu'est-ce que c'est que ça !

– Quoi, dit-il, c'est la marche nuptiale. Merde non, je me suis trompé de face, c'est la funèbre. Excusez-moi me dit-il au passage. Il constate que je me marre et reste le disque en l'air.

– Ça ne fait rien dis-je c'est joli aussi, j'aime beaucoup la musique. Est-ce qu'il y a quelque chose que vous aimeriez entendre ? dit-il. Peut-être l'Héroïque ? dis-je. Ou du Brassens... Oh, est-ce que vous avez du Cool ?

– Déjà ? dit Bruno.

– Peut-être un peu plus tard ? ...

Je suis assise par terre, Stéphanie aussi ; on fouille dans les disques ; on s'emmerde déjà moins. Stéphanie veut une chanson de Ferré, tu sais le type qui s'envoie la bonne et bouffe des pissenlits ? Ils vont faire la gueule, on va se marrer.

– Madame est servie.

– Ça doit être moi, Madame ?

– Merde, dit Bruno, ça commençait à s'arranger.

On mange mal chez les bourgeois je l'ai maintes fois constaté. Et on ne repasse pas assez les plats. Qu'est-ce qu'ils veulent en faire après on se demande. Même pour un mariage. Ils ont tout fait faire chez le traiteur, c'est racé mais recuit. Enfin c'est la vie, comme dit Philippe. Les deux gosses là-bas à l'autre bout parfois me font des signes d'intelligence ; heureusement parce que les autres. La parenté et Philippe ont mené jusqu'à épuisement le thème du Voyage de Noces, Philippe sait exactement tous les endroits où nous allons passer et ce qu'on va y voir, ce serait même plus la peine d'y aller. Je n'ai pas participé, je ne suis pas assez forte en géographie, c'était mon point faible, mon meilleur était les maths mais ça ne sert à rien dans la conversation. Les vieux, mus par l'Association d'Idées, y sont allés de leurs souvenirs correspondants, la Venise du Nord les Tulipes et les Fjords ; maintenant on va davantage vers le Sud ; il fait plus chaud, dit Irène, et Philippe précise qu'il y a la mer, dans le Nord aussi dit madame Aignan, oui mais ce n'est pas la même, dans le sud c'est la Méditerranée indique Irène, la Méditerranée est à la mode maintenant même à cette saison surtout qu'il n'y a pas l'horrible foule de Juillet, et les prix aussi, les prix, il faut en profiter, il y a aussi la montagne dit M. Aignan, moi j'aime bien la montagne c'est sain, il y a de l'air, c'est très à la mode aussi surtout au printemps, sans toute cette foule d'hiver, mais pour un Voyage de Noces avance madame Aignan la montagne n'est peut-être pas le plus indiqué, Pourquoi, demande Irène, Pourquoi pas ? On se casse les pattes intervient Bruno et alors ce n'est pas commode, Moi j'aurais bien aimé aller en Espagne coupe Philippe mécontent de l'intervention de son cadet, mais Céline n'aime pas l'Espagne, tout le monde de se récrier, comment vous n'aimez pas l'Espagne, comment peut-on ne pas aimer l'Espagne ! Vous connaissez ? m'est-il demandé, vous savez il faut bien connaître, il y a des petits coins où les touristes ne vont pas c'est là qu'il faut pousser, vous y êtes allée ? Non. C'est la première fois que je l'ouvre. Alors si vous n'y êtes pas allée ? Philippe sourit avec indulgence, prend ma main : elle n'aime pas. Je n'aime pas le Flamenco, dis-je, Comment vous n'aimez pas le Flamenco c'est si beau ! proclame Irène, et les autres chorus, ils aiment tous le Flamenco ils ont ça dans le sang les Français c'est bien connu, il n'y a qu'à voir comme ils tapent dans leurs mains à la Guitare ou au Barrio Chino de Paris avec une flamme sauvagement gitane et à contretemps, et puis l'Espagne est si bon marché dit madame Aignan. En plus je n'aime pas les corridas dis-je, Mais si vous n'en avez jamais vu dit Irène, attendez d'en avoir vu, comment pouvez-vous savoir ? Moi je croyais que je n'aimerais pas ça c'est si cruel et puis j'en ai vu une, et j'ai été prise. Par qui ? dit Bruno, Bruno ! dit le père mais sur un ton de doux reproche vu la solennité du jour qu'il ne faut pas ternir, Irène rit pour faire voir qu'elle n'est pas fâchée et enchaîne sur la description. Comment elle a été prise par la Corrida (ahah) et a jeté ses gants en bas, et il y en a un qui a atterri sur la corne du taureau la pauvre bête avait l'air si ridicule. Peut-être si on me garantit la mise à mort du torero, dis-je fermement, mais elle est sadique cette enfant ! s'exclame Irène attendrie. Ils sont merveilleux. Mais vous ne connaissez pas les règles, dit M. Aignan, qui me les explique parce que lui, il les connaît d'un bout à l'autre il ne lui manque que d'avoir été dans l'arène les mettre en pratique. Et puis l'Espagne ce n'est vraiment pas cher dit madame Aignan qui a oublié l'avoir déjà annoncé, la Yougoslavie non plus dit Philippe, et les voilà partis sur les devises, et le Coût de la Vie dans chaque coin du monde, calculé bien entendu ça va de soi d'après le rapport entre le salaire du manœuvre indigène et le prix du kilo de gros pain, et je te dissèque le centavo de telle sorte qu'en une semaine avec de savantes acrobaties sur le change ils finissent bien par se faire un boni de dix ronds, là je les perds de vue un court instant pour attraper ma quenelle et je les retrouve dans la Prospérité du Pays, Pont de Tancarville Autoroute du Sud Pierrelatte. Quand j'en ai tout de même assez d'entendre déconner je déclare : jusqu'à ce que ça craque tout ça parce que c'est creux par en dessous leur système, dans la presse étrangère vous savez comment on appelle la situation ici ? L'inflation. Vous ne lisez pas les journaux étrangers ?

Silence, et le père, à présent également mien, me regarde songeur une seconde se disant que le jour du mariage il ne peut pas me renvoyer déjà à ma broderie, et, me dédiant un sourire paternel, dit : Mais nous ennuyons cette enfant avec des sujets aussi rebutants, elle a raison de nous le faire remarquer, j'espère qu'il fera assez chaud pour que vous puissiez vous baigner là-bas ? Elle emporte son masque, embraye au plus vite Philippe avec attendrissement. Non ? admire le père, vous êtes une chasseresse sous-marine ? Oh non ! dis-je. Je regarde seulement. Jamais je ne voudrais tuer un poisson j'ai horreur de la chasse de toutes façons comme passe-temps c'est ridicule et inutilement coûteux, et tout un bluff. Quoi du bluff ! se récrie-t-il, cette fois pas content du tout et oubliant la solennité du jour car il y va chaque automne comme je ne l'ignore pas mais j'ai voulu mettre un peu d'animation parce que sinon je pique du nez dans mon pintadeau. J'éperonne : des pauvres faisans à qui on donne le grain toute l'année quasiment à la main et qui viennent quand on les appelle comme des poules et puis un beau jour une bande de gens armés jusqu'aux dents arrivent et tirent dans le tas sans sommation, vous appelez ça du sport ? Céline, murmure Philippe dans ses dents mais maintenant que j'ai réussi à m'énerver je ne vais pas me laisser retomber, je n'ai pas l'habitude d'en supporter autant, dans ces cas-là en général je me taille mais ici je ne peux pas il faut que je fasse quelque chose. Vous y êtes allée ? redemande Irène, perfide cette fois, elle commence à entrevoir que je ne suis allée nulle part (nulle part où il faut). Moi jamais de la vie ! dis-je avec dédain. Alors vous ne pouvez pas savoir, dit Irène. Elle parle avec son cœur, dit M. Aignan qui s'est ressaisi, mais moi : encore je comprends qu'on chasse le sanglier à l'épieu. Alors je ne comprends plus, moi, dit le père, si vous avez l'âme sensible, l'épieu... Je vous le dis, elle est sadique, dit Irène, malicieuse. Philippe est atterré : j'accumule gaffe sur gaffe, il ne sait comment m'arrêter, je vais avoir des bleus à l'endroit où il me file des coups de genoux depuis un moment. Vous ne pouvez pas demander à mon père de chasser le sanglier dit Bruno, il n'en reviendrait pas ; les faisans c'est déjà juste, l'autre fois il y a eu un mort. C'est un chasseur qui l'avait tué dit Stéphanie, pas un faisan. N'empêche, dit Bruno, moi je serais plus rassuré s'il chassait la casquette. Voyons, dit la mère. Vous ne savez pas combien un sanglier peut être dangereux me dit, ignorant les enfants, le Nemrod de Septembre : quand il charge. Eh bien justement c'est ce qui fait le charme, sinon y a pas de sport. Je vous le dis, repart Irène, après la mort du torero la mort du chasseur. Elle est sadique. Voilà le dessert dit madame Aignan, comme si on pouvait ne pas le voir c'est une pièce montée, mais le coup réussit, tout le monde part dans le gâteau, A vous de couper Céline. Assez de champagne me souffle Philippe au passage de la bouteille, tu es déjà suffisamment énervée. A votre bonheur, dit le père, déterminé à ce que la journée se poursuive quoi qu'il en soit dans la liesse, il lève son verre, à votre bonheur à tous deux, madame Aignan essuie une larme de pure forme, que ça dure plus longtemps que le mien dit la Cousine Aimée en en versant plusieurs, son mari vient de mourir du cancer ainsi qu'elle ne l'a pas laissé ignorer tout à l'heure au moment du hors-d'œuvre avec les détails, un carcinome de l'intestin, nous levons nos verres, et alors du salon contigu parvient jusqu'à nous un air que je connais bien, et s'élèvent les paroles fameuses : « Il n'y a pas d'amour heureux. » Innocemment Bruno revient prendre sa place à table. Ce garçon a bien de l'à-propos, un jour ou l'autre je le lui dirai.

Le test d'une bonne chanson, c'est que lorsqu'elle s'élève tout le monde se tait même les cons. Nous écoutons dans un religieux silence.

Des larmes me montent aux yeux à l'improviste. C'est une chose qui m'arrive un peu souvent ces temps-ci. Je me demande d'où elles me viennent.

★

On s'en va ! crie Philippe dans mon oreille, est-ce que je dormais ? Du reste il ne crie pas, il murmure en réalité ; je suis sur un divan. A l'hôpital peut-être. Non c'est une chambre, c'est Empire avec des pendeloques. Hideux d'ailleurs ; verdâtre ; écœurant. Tête pas encore bien solide, à peine sortie de dépression nerveuse ; est-ce que ce n'était pas plutôt une tentative de suicide dis-moi, disent des voix dont une connue, chut dit Philippe elle est réveillée, c'était madame Aignan qui parlait la voilà maintenant qui se montre, ça va mieux ? Oui oui dit Philippe d'un ton impatient, on vient dire au revoir tout de suite, on vous suit, laisse-nous, Je t'avais pourtant dit de ne pas boire tant dit-il à moi une fois seuls, tu sais bien que tu ne supportes plus ! Et justement aujourd'hui ! J'aurais pourtant voulu que tu te conduises convenablement. Au moins pour la journée ! Mais c'était trop te demander. Il arpente furieusement le plancher.

Bon, je vois ce que c'est. Banal. La question c'est ce que j'ai pu faire pendant. Je me connais. On m'a déjà raconté, j'ai de l'idée dans ces cas-là. Mais pour le coup mieux vaut ne pas poser de questions. A voir son air j'ai dû faire du bon travail.

– Tu es capable de te tenir debout ? Sans tituber ? Fais voir ? Je vise les raies du parquet. A mon avis ça va très bien, je les suis au poil.

J'accomplis aussi honorablement la traversée du salon, qui est pourtant grand ; il ne serait pas nécessaire que Philippe m'empoigne le bras avec une telle force, il doit confondre un peu de vent dans les voiles avec la polio ; il me fait mal. La vaste pièce est un rien déserte par rapport à tout à l'heure, où elle était pleine, pendant le cocktail. Il y a eu un cocktail. Seigneur, ai-je passé tout un cocktail sans m'en apercevoir ? C'est ennuyeux d'être distrait à ce point-là. A ma vue, le visage de Stéphanie s'épanouit : si je pouvais lire dessus ! elle semble avoir des bons souvenirs, elle, du cocktail. Quel dommage que vous deviez partir me dit Bruno d'un air entendu, mais entendu quoi ? Je reviendrai, dis-je à tout hasard. J'espère bien répond-il, en ce qui me concerne la maison vous reste ouverte. Aïe, ça a dû être grave. M. Aignan, père, m'embrasse cependant, bien que du bout des lèvres ; j'espère que ce beau voyage achèvera de vous rétablir me dit-il, reposez-vous bien surtout. Il a un sparadrap sur la joue, qui n'y était pas tout à l'heure, d'où lui est-il venu ? Il faut l'excuser dit Philippe, papa, tu sais qu'elle n'est pas encore très, qu'elle est encore un peu... Mais je l'excuse bien sûr dit le père je l'excuse (de quoi Seigneur ?), un jour pareil on excuse tout, Je comprends tout à fait mon garçon c'est oublié, allons, amusez-vous bien les enfants et revenez-nous en pleine forme !

Dernière haie avant la ligne droite, madame Aignan ; elle s'arrache à la veuve du cancéreux, qui semble s'accrocher, pour étreindre son fils ; elle renifle ; voyons maman dit Philippe, voyons, je ne pars pas à la guerre. Elle n'en paraît pas sûre. Ce n'est pas une haie c'est la rivière, sa joue est mouillée, heureusement elle ne reste pas longtemps sur la mienne, ça manque d'enthousiasme on dirait. Fini. Non, je n'échapperai pas à la veuve du carcinome, qui semble avoir attendu ce moment pour enfin laisser déborder son cœur, qu'elle n'a pas voulu assombrir cette journée mais que tout de même elle ne peut pas se retenir de dire combien c'était dur pour elle qui venait de le perdre de voir un Jeune Bonheur prendre son Départ pour la Vie, elle nous le souhaitait long, long, long, long, Madame Aignan l'arracha avant l'éternité et confisqua un instant Philippe pour dernières je ne sais quelles recommandations. Je tenais très bien debout sans lui. Quelqu'un me tendit un mouchoir pour essuyer de mon visage de mariée les larmes de la Veuve, ce n'était pas Véronique, c'était Camille, l'air d'excellente humeur, Comment tu es encore là tu t'emmerdais pourtant ferme la dernière fois que je t'ai aperçue, J'ai trouvé une raison de rester dit-elle et son regard me désigna Bruno, qui répondit d'un sourire très à l'aise. Ah. Elle est rapide Camille. Moi aussi je l'étais, autrefois. Autrefois. Félicitations. A toi aussi dit-elle, tu as été sublime. Moi ? Quoi ? Qu'est-ce que j'ai fait ? J'ai baisé quelqu'un ? Qui ? Non, d'ailleurs qui, à part ton mari, puisque Bruno était entre mes mains, non, mais tu as été sublime tout de même. Surtout le discours sur le Carmel. Seigneur ! La chasse aux chasseurs était également un succès, qu'est-ce qu'on s'est marrés, je veux dire tous les trois. Pas les autres. Quant au strip-tease...

– Tu viens ? dit Philippe.

– Adieu, dit Camille, et félicitations aussi pour le deuil, tu as eu un sacré courage de faire ça.

– N'est-ce pas ? c'est ce que je me suis dit moi aussi, quand je m'en suis aperçue ce matin...

– Tu viens ? dit Philippe.

★

Jamais la pensée de faire l'amour n'a été à ce point absente de mon esprit jamais.

Je voudrais dormir. Me reposer. Une journée pareille. Je suis morte. A quia. Quoi c'est un choc de se marier non ? Ça ne se digère pas comme une feuille de laitue. Je change de vie, moi. Ça fatigue. Je suis épuisée, je voudrais dormir. Et puis ce champagne, par-dessus ce vin ; ces vins ; leur manie des mélanges ; ça vous tue.

Avant quand on se rencontrait dans un lit Philippe et moi c'était pour faire l'amour. Autrement on avait nos chambres. Maintenant, et désormais, pour dormir aussi on n'a qu'un lit. Il y est déjà. Je le rejoins. Je voudrais dormir. Ou ne pas dormir. Réfléchir. Songer. Me calmer. Je ne sais pas. Je voudrais du temps. Me remettre. M'y faire. Ou peut-être causer ? Je ne sais pas. Alors il m'arrive dessus.

Bon, s'il n'a pas compris tout ça je ne vais pas me mettre à lui expliquer. Trop long. Trop compliqué. Passons, ce n'est pas une affaire, un homme qui est mon amant depuis six mois. Soyons simple. Laissons glisser.

C'est vite dit. Mais. Encore faut-il. Alors lui :

– Qu'est-ce qu'il y a ?

Moi :

– Rien... peut-être je suis un peu fatiguée...

Et lui :

– Déjà ?

Et voilà. Coupez. Terminé. Mort. Le gouffre. Quand on est là, il n'y a rien à faire. C'est trop tard. Il fallait comprendre tout seul. Dans la vie pour se comprendre il n'y a qu'un moyen : se comprendre. Faute de quoi, tout est inutile, explications mises au point et tout. Ce qu'on peut faire, c'est essayer de passer. Ce que j'ai tenté. Mais on n'a pas le contrôle de tout, le corps ignore les tactiques, pour lui les choses sont ce qu'elles sont : ça n'était pas très accueillant. On n'y peut rien. Au fait je me demande comment font les putains. Elles doivent avoir un truc. Sinon c'est pas possible. Moi en tout cas si je ne suis pas pour, c'est un massacre.

Il a foutu le camp à l'autre bout du lit ; le dos tourné. Drapé dans sa dignité de mari offensé. De mari ; lui c'est tout ce qu'il voit.

Tu ne pouvais pas comprendre ? Tu ne pouvais pas comprendre ? Tu ne pouvais pas comprendre ? Tu ne pouvais pas voir ? Au moins voir ? C'était pourtant clair. Une journée pareille et on doit être frais comme un gardon ? Tu crois que c'est un aphrodisiaque, ta famille ? Si tu avais un peu de bon sens tu aurais dû me laisser huit jours pour la digérer ! Et par là-dessus la balade en voiture, deux cents bornes de nuit à cent quarante, et à la muette, Monsieur digne au volant sans un mot, et par là exprimant son dégoût pour l'ivrogne jetée sur la banquette avec une brutalité qui appelait, de la part d'une moins lâche que moi, la paire de gifles, ça aussi c'est de nature à vous mettre le ventre en joie il n'y a pas à dire. Qu'est-ce qu'ils croient qu'on est ? En quoi faites ? En viande ? Et après ça dans le lit pas un geste, pas une parole comme ça anodine pour faire passer, La journée a été dure ou Enfin c'est fini, quelque chose d'un peu humain non ? Autrefois jamais tu ne m'aurais approchée sans quelques préalables gentillesses, jamais, autrefois...

Ah mais autrefois c'est autrefois. Aujourd'hui tu es mon mari. C'est plus des faveurs c'est des prérogatives. Crétin. Et on m'attendait au tournant, ah ah. On allait voir ce qu'elle allait faire, maintenant qu'on était mariés. Qu'il m'avait épousée. Ahah. On m'attendait au tournant, la conclusion toute préparée — « Déjà » ? — c'est parti comme une flèche, à la seconde : c'était prêt d'avance. Et ça volait bas. Oh l'horrible type ! Maintenant à l'autre bout du lit, très loin. Qu'il y reste.

Mais mon cœur. Encore un truc qui ne se contrôle pas tiens, ah, sacrée carcasse, mon cœur cogne dans tous mes os, et voilà le plexus qui se démanche, la bon dieu de boule qui me monte, tableau clinique complet, le creux dans la poitrine, dans un instant je vais râler. J'agonise. C'est insupportable. Ce n'est pas possible. Il faut sortir de là, ou je meurs. Quelqu'un peut-il m'apporter des sels. Non, c'est sérieux, je meurs vraiment quoi. Je l'aime ! Philippe !

Et maintenant qu'est-ce qu'on fait ? Je m'en vais, il n'y a rien d'autre à faire. Il est impossible, quoi. Allons, debout. Lève-toi. Tu entends carcasse. Mais elle ne veut pas. Elle souffre la pauvre. Elle a mal. Gnagnagna. Ça y est voilà qu'elle pleure. Encore un instant elle dira papa maman. C'est fait elle parle ; elle dit : Philippe, s'il te plaît...

– Je suis fatigué.

Tiens il ne dort pas en tout cas. Il renvoie la balle. Bêtement mais il renvoie, tout n'est pas perdu.

– Eh bien il y a de quoi. Moi j'aurais compris que tu sois fatigué.

– Tu as pris le temps de fabriquer de bonnes raisons ?

Fatigant. La moitié de moi pour le moins voudrait être à cent lieues plutôt qu'aux prises avec un tel paquet de sottises. Mais l'autre moitié ne veut pas démarrer d'ici. Pour rien au monde. Ma moitié numéro deux tuerait plutôt ma moitié numéro un ; c'est du reste ce qu'elle fait. Elle répète Philippe s'il te plaît, il paraît que c'est tout ce qu'elle sait dire. D'ailleurs ça marche. Il a bougé. Si j'étais un peu maligne, ce serait le moment de tourner le dos à mon tour, si j'étais un peu putain. Mais je ne suis pas maligne, je ne suis pas putain, j'aime. Oh merde. Carcasse bouge aussi.

– Tu n'es plus fatiguée tout d'un coup ?

– Non.

Abrégeons. En vérité je suis exténuée, et en plus dégoûtée, mais que la vérité aille se rhabiller ce n'est pas sa place ici. Le reste sera laissé à la Nature, qui n'est pas regardante. Quel travail. Mon dieu s'il vous plaît faites que pendant ce temps-là mon sacré corps se soit un peu apprivoisé, que le bien-aimé n'arrive pas dans une râpe. Je ne sais pas mais il a dû décider de ne pas s'arrêter aux détails cette fois. Il avait peur, lui aussi. Lequel des deux a eu le plus peur ? Ah c'est beau l'amour. Pour la suite je n'ai qu'à faire confiance, il a par chance la bonne manière ; c'est même ainsi qu'il m'a attrapée. Ils sont rares : on est surprises. Il y en a qui me comprendront. Le lendemain de cette « surprise », plus connue sous le terme de Coup de Foudre, je fus trouver Thomas, et je lui dis : que veux-tu, il a la bonne manière. C'était pour m'excuser. On ne tombe pas folle amoureuse d'un autre, en plein cours d'une liaison charmante, sans présenter des explications. Dans ce temps-là j'étais innocente, je ne pensais pas que ledit cours dût pour autant être à jamais interrompu ; j'envisageais que Thomas, un excellent ami, de ceux qu'on garde, serait un peu sur la touche durant les premiers excès d'une passion naissante, et puis, un jour, un peu plus tôt un peu plus tard, tout rentrerait dans ce que j'appelais l'ordre, et que Philippe appelle le désordre ; et la vie continue. « Et est-ce que tu étais heureuse comme ça ? » Eh bien je n'étais pas malheureuse. La question ne se posait pas. On vivait. Les choses venaient comme elles venaient ; on les prenait ; on passait ; ou bien, elles passaient. En ce temps-là tout était naturel. On aimait tout le temps, et faut-il vraiment un complément de personne ? J'ai dû aimer des villes, à travers des gens. « Et peux-tu me dire ce qu'il t'en reste ? » Eh bien il m'en reste les villes ; des musiques du vin des odeurs des couleurs des sons des lumières ; il nous en reste la vie même. Ce qu'on est. Plus autre chose, qu'on n'avait pas avant, et qu'on n'entrevoit que si on s'est fait suffisamment culbuter dans l'âge propice. Quelque chose à propos de l'amour même, et qui l'élargit quelque peu. Je n'en sais pas plus long je n'ai pas eu le temps d'achever mes études. Le sacrifice de Thomas fut exigé, et total, je ne devais même plus le rencontrer. Les autres ne me coûtaient pas ils ne faisaient que passer. « Ou c'est moi, ou c'est lui. » L'ultimatum, tout de suite. La violence. La précipitation. Quelles mœurs. Voilà bien les Occidentaux. Ils ne peuvent pas laisser les choses aller, avec le respect qui leur est dû. On aurait bien vu, non ? Non. Ils commandent aux choses d'être comme il leur convient qu'elles soient. Des fois ça réussit. Apparemment. C'est comme ça entre autres qu'ils ont conquis le monde. Oui mais, à quel prix ? il n'y a qu'à voir. Thomas fut sacrifié, que pouvais-je faire ? j'étais coincée. Et voilà comment on nous fait perdre l'innocence. Ce qui me navre dit-il, ce n'est pas seulement de te perdre, c'est que ce soit si bêtement. Je te comprends – mais, qu'est-ce que l'amour ? La passion, d'où vient-elle ? – et où s'en retourne-t-elle ? Je ne le savais pas non plus. Thomas fut sacrifié mais à quel prix l'avenir nous le dira. Ils foncent d'abord et puis ils aperçoivent les conséquences quand elles leur arrivent dessus. D'où vient la passion ? où s'en retourne-t-elle ? Pourquoi mon corps est-il là, habité d'un esprit blessé ? pensai-je dans les bras de Philippe, même la bonne manière laisse place pour penser et moi faire l'amour ça m'inspire, ça m'éclaircit les idées. On partit à l'aube selon le programme, ayant à peine fermé l'œil. Il l'avait eue sa Nuit de Noces.

QUI n'a jamais de sa vie choisi des doubles rideaux ne peut pas savoir. On n'y résiste pas. On se croit fort, mais les doubles rideaux sont encore plus forts. On les prend d'abord de haut, on fait un peu comme si c'était un autre, qu'on regarderait d'un air amusé choisir des doubles rideaux, un autre qui serait supposons votre serviteur, pas vraiment vous, vous vous ne pouvez pas vous passionner pour des doubles rideaux, vous êtes en dehors. Et puis plouc. On y est. Que s'est-il passé ? On n'a pas eu le temps de voir, comme on n'a pas le temps de se voir tomber dans le sommeil. On est tombé dans le type qui choisissait des doubles rideaux, dans le serviteur, on ne fait plus qu'un avec lui, on a oublié complètement l'existence de l'autre, c'est-à-dire de soi-même. On est englouti. Très important le choix des doubles rideaux. La couleur ; le tissu ; la tombée du tissu (on se met à employer de ces mots !) ; doublera-t-on, ou pas ? Très important. Tout est très important. Les tissus lourds sont en général d'une laideur à hurler ; qu'est-ce qu'ils ne vont pas inventer, c'est une entreprise de perversion du goût. Le rayon d'ameublement c'est le musée des horreurs. « Mais Madame nous en vendons beaucoup », voilà l'argument-clé. Eh, qu'est-ce que j'en ai à foutre de ce que les autres aiment ? Vous n'avez pas au moins, pour ceux qui sont restés normaux, quelque chose de simple ? Vous comprenez, de simple ? Un tissu, vous comprenez ? « Mais Madame, c'est ce qui se fait ». C'est ce que les fabricants font, ça oui, je le vois bien, mais ce que le client veut, on s'en occupe, ou non ? Nous en vendons beaucoup Madame. Mais nom de Dieu qu'est-ce que vous voulez que les gens achètent, sinon ce qu'il y a ! ils ne peuvent pas acheter ce qu'il n'y a pas ! c'est invraisemblable. Insupportable. C'est de la dictature. Pour les doubles rideaux Madame ? Voyez donc plutôt à l'ameublement. J'en sors, il n'y a rien. Rien ? La vendeuse atterrée contemple l'énorme superficie du rayon condamné. Mais ça Madame ce n'est pas du double rideau c'est de la doublure. Et qu'est-ce qui vous fait décider que c'est de la doublure ? Si je les accroche aux fenêtres ça ne sera pas des doubles rideaux ? Sémantique, à moi ! Les gens sont abusés. Ils ne savent plus ce que c'est qu'une chose, ils savent seulement ce que c'est qu'un nom. J'ai acheté de la satinette dans la réprobation, la vendeuse était bouleversée. Et maintenant le dessus de lit, qui devra, ou ne devra pas, être assorti aux rideaux. Lisez France-Femme et vous saurez vivre. S'il vous plaît, en un mètre soixante. Ça n'existe pas Madame. Comment ça n'existe pas ? Mais les meubles, c'est grand en général. La largeur en ameublement Madame c'est un mètre trente. Mais c'est idiot ! C'est comme ça. Et qu'est-ce que vous voulez qu'on fasse avec un mètre trente sur un lit, les lits ils n'ont pas un mètre quarante ? Ah alors voyez au rayon literie Madame, si c'est pour un lit. Literie pour les lits. On trouve choquant que j'ose chercher ailleurs, que je sorte de la prison du verbe. Que je demande ce dont j'ai envie, et non prenne ce qu'on propose. D'où je sors, pour ne pas savoir que ce n'est pas l'offre qui répond à la demande mais la demande qui doit obéir à l'offre. Elles le savent, elles, que le système a basculé, ou plutôt elles ne le savent pas, elles ont basculé avec. Ce n'est pas leur faute, c'est le système qui les paye. Trois sous et toujours debout et la permission pour aller pisser, mais l'homme est une marchandise cotée bas. Ce soir elle dira à son mari : aujourd'hui on a eu une dingue ; je sillonne les Avenues du Commerce en quête de logique, elle a raison sans doute. Je voudrais du voile de coton, mais sans plumetis. Cela ne se fait pas Madame. Pourquoi. Parce que c'est comme ça que ça se fait Madame. Et ça se fait comme ça pourquoi ? Elle s'énerve. On ne nous le demande pas Madame. Mais moi, je ne suis pas en train de vous le demander ? Non ce n'est pas ça : on ne le demande pas, alors moi qui le demande je n'existe pas. On me nie. On n'a qu'à attendre que je m'en aille. Mécanique subtile à produire des moutons. Je n'aurai pas mes rideaux si je continue. Ou bien il faudra que je cède, ils m'auront ; ils sont forts. Ils ont décidé que cette année j'aurai des casseroles tango, pétrole ou tourterelle ; tout comme les autres dames. Il n'y a pas de raison. Parce qu'enfin si on laissait les gens tranquilles ces andouilles achèteraient des casseroles une fois pour toutes et où on irait ; il faut bien se défendre contre ces indolents crétins qui si on ne les secouait pas vivraient encore dans les arbres, cueillant des fruits. Il faut leur trouver sans arrêt des trucs nouveaux pour qu'ils sortent leur fric, ils sont si avares. Les sacs, les maillots de bains sont également tango cette année je ne sais pas si vous l'avez remarqué, et si vous vous reportez à France-Femme vous verrez que ça y fait rage à chaque page et si vous ne vous y mettez pas vous aurez l'air d'une noix. C'est un ordre. Les couleurs élues m'agressent de partout, violent mes yeux, s'enfoncent dans ma cervelle. Et finalement, elles ne sont pas si mal : des tons très étudiés, des Comités de Coordination s'y sont penchés des heures durant vous pensez ce n'est pas pour rien, ces messieurs ne sont pas du genre à perdre leur temps avec l'arc-en-ciel, et puis comme par enchantement les casseroles bleu pâle comme je voulais sont introuvables dans les rayons : on ne les fait plus Madame – vais-je m'épuiser en vaines recherches, me faire archéologue de casseroles, par pur entêtement ? Allons, ce serait encore plus bête de s'obstiner, et puis qu'est-ce que ça peut me foutre au fond la couleur de mes casseroles, je ne les verrai jamais j'aurai une bonne. Je rentre avec une batterie tourterelle, épuisée, au bord des larmes, broyée par le système.

— Je ne comprends pas comment tu réussis à vivre une tragédie en traversant un grand magasin, dit Philippe. Il n'y a que toi. Ce doit être la fatigue.

— Mais c'est charmant le plumetis, dit madame Aignan. Surtout pour une chambre. Mais si vous tenez à l'uni vous avez le voile de nylon, qui est en plus beaucoup plus facile à laver, et ne se repasse pratiquement pas.

Madame Aignan, née Rabu (il paraît que c'est très bien) parle comme ma vendeuse ; elles ont la même syntaxe. Après tout c'est logique : toutes deux sont dans le commerce, haut ou bas n'y change pas grand-chose.

— Mais le nylon ils ne le font pas blanc. Je veux blanc.

— Vous avez des idées très arrêtées aussi.

— Que voulez-vous Madame, quand on s'intéresse...

Philippe me lance un regard acier : je l'ai encore appelée Madame, je ne m'y mettrai jamais. Mère, ça m'écorche la gueule ; c'est pas ma mère ; j'ai horreur des mots qui n'ont pas de sens. Elle, cependant, me regarde avec affection : elle s'y met cette petite, elle se donne du mal finalement, elle se passionne pour son petit intérieur. Mon Intérieur. Pour l'instant, en attendant que les peintres les maçons les menuisiers les plombiers, cette armée de parasites comme dit madame Aignan, en aient fini là-bas rue de la Pompe, et ce ne sera pas de sitôt dit M. Aignan l'artisan français est non seulement le plus cher mais le plus lent du monde, et pas le meilleur ajoute Irène, il faut prendre des Espagnols ou des Grecs ils sont pour rien, mais les factures dit Philippe, sans facture pour les impôts je suis marron, bref, en attendant on campe chez les Aignan, dans la chambre de Philippe, Empire et pendeloques, mauvais souvenir mais qui semble oublié courtoisement, sauf de Bruno et Stéphanie qui ont une fois apposé sur la porte de la chambre néo-conjugale l'écriteau : Carmel, que j'ai transféré sans délai sur la porte des chiottes communes, d'où une main pieuse l'a, peu après, ôté ; qui l'a vu entre-temps et qui non, mystère, ce sont des gens bien élevés. Nous autres mal élevés, on a gardé l'habitude de dire entre nous « je vais au carmel », pour aller là. Heureusement qu'il y a Bruno et Stéphanie dans le coin, parce que lorsqu'ils ne sont pas là...

– Bien sûr je vous comprends, vous êtes jeune et passionnée, moi aussi quand je me suis mariée j'avais mes petites phobies, n'est-ce pas Charles ?

– Rmmm.

– Mais ce ne sont pas seulement des caprices !

Je ne veux pas des choses compliquées justement je veux des choses simples, et je ne peux pas comprendre pourquoi on ne fait pas des choses simples ! Ça me tue.

– Ma chérie, dit Philippe, doctoral, tu dois comprendre que la Production obéit à certaines normes...

– Alors nous on doit obéir aussi, pour les arranger !

– Voilà l'étendard de la révolte, dit-il, avec un sourire indulgent destiné à la neutralisation.

– Je suis un révolutionnaire, je ne veux pas de plumetis.

– Vous êtes-vous demandé, intervient le père, où on irait s'il fallait tenir compte des désirs de chacun ?

– Oui.

– Alors vous voyez.

– Je vois que ça ne me fait ni chaud ni froid, vu où on est déjà. Pagaille pour pagaille.

– C'est une anarchiste, dit Irène, toujours le mot juste.

– Pourquoi n'allez-vous pas plutôt chez un bon petit tapissier, dit madame Aignan. Il vous conseillerait. Ces gens-là ont l'habitude. Cela vous éviterait tous ces ennuis.

– Tu dis un petit peu n'importe quoi ma chérie, dit Philippe. Ce sont des questions dont on ne peut parler qu'en connaissance de cause. C'est plus compliqué que tu ne crois...

– Qu'est-ce qui vaut mieux : que la forêt empêche de voir les arbres, ou que les arbres empêchent de voir la forêt ?

— Hein ? dit la famille Aignan.

— Je peux comprendre que les machines ne sont pas élastiques, ce n'est pas sorcier, dis-je. Et que les fabricants sont faits pour gagner de l'argent et pas pour rendre service, Dieu les a créés comme ça on n'y peut rien. Pour l'instant. Je peux comprendre dans quel monde je vis. Je peux même acheter du nylon. Mais ce qui me fait mal au ventre, c'est que les gens n'arrivent même plus à entendre une simple phrase.

— Mais ma pauvre enfant, n'avez-vous pas encore compris que les gens sont bêtes ? dit madame Aignan. Prenez ma bonne par exemple. Francesca. Elle ne comprend absolument rien. Je peux lui expliquer des heures entières.

— Elle comprend peut-être l'espagnol ?

— Céline est jeune, dit Irène. Elle a encore des illusions.

— Je ne suis pas sûre qu'ils soient si bêtes. Je me borne à constater qu'ils le deviennent de plus en plus. Comment : en faisant des choses bêtes tout le temps, qu'on leur fait faire.

— Vous êtes une romantique, dit M. Aignan. Rousseau.

— Je veux bien être appelée comme ça mais ça ne signifie pas que j'aie tort.

— S'ils veulent ils peuvent, dit madame Aignan. Regardez le mari d'Odette, il était simple ouvrier, maintenant il est chef d'équipe ou je ne sais quoi ; il a suivi des stages ; un jour il sera contremaître. Chez Simca.

— Là où on déchire sa carte syndicale en entrant ?

– A quoi leur servirait-elle ? dit M. Aignan. Ils ont beaucoup plus d'avantages qu'ailleurs. Robert est très content. Il a sa voiture.

– Est-ce qu'un ouvrier aurait eu sa voiture autrefois ? Le mari de notre femme de ménage. Vous voyez bien. D'ailleurs il ne peut même plus la garer devant l'usine, ils en ont tous, ils n'ont plus la place.

– Autrefois les voitures n'existaient pas.

– C'est même comme ça qu'on en arrive à ne plus pouvoir circuler ni les uns ni les autres, dit M. Aignan. Vous savez combien j'ai mis des Champs-Elysées ici ? Vous ne le croiriez pas. Et pour se garer même l'avenue Henri-Martin est pleine comme un œuf.

– D'ouvriers de chez Simca ?

– Ceux-là ou d'autres, une voiture tient toujours à peu près la même place.

– C'est tout de même un scandale, dit Irène. On devrait faire quelque chose. Rationner. Empêcher que tout le monde puisse en acheter si facilement.

– Et où suggérez-vous que l'on mette les voitures qui sortent des usines ?

– Hein ? dit Irène. On n'a qu'à en faire moins. Plus cher.

– Il y en a qui n'ont même pas le nécessaire pour manger, dit madame Aignan, ils donnent des pommes de terre à leurs gosses. Mais ils ont leur voiture. Ils sont fous avec ça.

– Et la chaîne Irène, qu'est-ce que vous en ferez ?

– Plaît-il ?

– La chaîne, elle fabrique sans arrêt, non ? Et les voitures sortent. Alors il faut les vendre. Alors on invente le crédit pour que les gens qu'on ne paye pas assez puissent les acheter tout de même. Qu'est-ce que vous voulez qu'ils en fassent sinon ?

– Mais l'Industrie automobile est une des premières de France ! se fâche M. Aignan. Elle fait travailler des centaines de milliers de gens qui, sans elle, seraient au chômage !

– Ah bien alors c'est parfait votre truc est rond. Vous mettez une heure et demie pour venir des Champs-Elysées pendant que moi en métro je mets vingt minutes, et tout va pour le mieux dans le meilleur des mondes capi – ...

– Et toi bien entendu, tu as une solution ! coupe Philippe en toute hâte et furieux. Tu vas régler la Production, et la Circulation, et tout, toi !

– Bien sûr que j'ai une solution. Elle n'est d'ailleurs pas de moi. Et elle est connue comme le loup blanc. Ça n'aurait même pas été tellement compliqué à appliquer à temps, il y a quelques dizaines d'années ; mais on n'a pas laissé. Et dans le fond, c'est idiot, quand on regarde aujourd'hui comment c'est. Tout le monde y aurait gagné. Je dis ça, sur le plan de la pure logique.

Se braquent sur moi les regards des Aignan atterrés. Serais-je – Serait-elle – quoi en plus elle serait...

– Mais qu'est-ce que tu dis ? Qu'est-ce que tu racontes ? Tu dis n'importe quoi ! éclate Philippe. Des esprits un peu plus vastes que le tien permets-moi de te le dire étudient ces problèmes depuis des siècles et toi tu arrives et tu vas régler tout ! Mais pour qui te prends-tu ? D'ailleurs je ne sais pas pourquoi je me fâche ajoute-t-il soudain calme avec un regard d'excuse pour les Siens, il a honte, Céline est comme ça elle dit toujours n'importe quoi ça ne vaut pas la peine de se fâcher. Tu dois être fatiguée.

– Pour du plumetis, dit Irène. Ce serait trop bête.

– Une journée entière dans les grands magasins c'est épuisant aussi, après on s'énerve sur un rien, dit madame Aignan.

– Repose-toi un moment, dit Philippe, et les choses reprendront leur aspect normal.

Leur aspect normal. Je prends une aspirine. J'en prends beaucoup ces temps-ci. Ça aide. Mon médecin – j'ai un médecin, comme j'ai un Notaire, celui qui a séparé les Biens de Philippe des Non-miens, une opération remarquable ; comme j'ai une petite couturière, qui m'a déjà raté deux robes dans lesquelles Philippe me trouve enfin sortable, j'ai l'air d'un haricot dans l'une et d'une fraise Chantilly dans l'autre mais je ne fais plus tache chez Prunier c'est le principal ; comme j'ai une bonne, espagnole et fournie, dès la prise de possession de l'appartement, par madame Aignan, qui en a une mine inépuisable, d'importation directe et à bas prix, que j'ai voulu un peu augmenter mais Philippe s'y est opposé, pas qu'il ne lui veuille pas du bien au contraire il est très social mais ça allait troubler les cours, du reste c'était de la démagogie de ma part a-t-il dit et il n'avait pas tort, il ne faut pas augmenter les bonnes il faut les diminuer au contraire de façon qu'elles en aient vraiment marre et foutent le feu aux baraques une bonne fois et qu'on n'en parle plus – mon médecin donc m'a révélé que je souffrais d'une légère Agapaxie chronique, maladie qui se caractérise par de la tristesse devant les événements malheureux et de la joie devant les événements heureux, même, précise le Dictionnaire des Termes, s'ils ne vous concernent pas personnellement, et qui (maladie qui), du fait de ces constantes réactions, est très incommode pour l'Entourage Familial et que par conséquent il importe de guérir. Je ne blague pas j'ai lu le livre, et j'ai demandé au médecin si les gens n'étaient pas tous en train de devenir dingues pour mettre des machins pareils noir sur blanc. Il m'a répondu : Vous voyez bien que vous êtes agapactique. De là les troubles éprouvés dans les rayons d'ameublement. Contre eux, madame Aignan a préconisé un petit tapissier décorateur pas cher dont elle avait l'adresse. Le médecin, lui, espère me guérir pour une neutralisation progressive de la sensibilité, grâce à des petites pilules, ma bonne volonté, le temps la sagesse et mon roi. A tout hasard j'ai foutu les petites pilules dans les chiottes, il faut être prudent, et j'ai mis à la place dans le tube un laxatif léger, Philippe est content de me voir avaler un truc et moi j'ai le teint frais. Tu vois ce que c'est que de mener une vie saine, se coucher de bonne heure, se lever tôt, ne pas boire trop. Dit-il. J'engraisse. Mes pantalons me serrent. Pourquoi ne t'achètes-tu pas plutôt une robe répète patiemment Philippe chaque fois que je demande une ouverture de crédit pour un nouveau, tu sais que je ne te refuse rien ; et puis où le mettrais-tu ? pas pour sortir avec moi je te préviens. Alors ? Pas qu'il soit avare, il dépense, mais il aime savoir où ça va, et il aime que ça aille où il veut. Ma parole je serai obligée de gratter sur les comptes, il faudra que j'y vienne, ainsi que me le conseille Julia Bigeon. Comme une bonne.

– Mais nous le faisons toutes, dit-elle, comment veux-tu qu'on s'en tire autrement ? ils nous donnent trop juste.

– C'est drôle, ils ne sont pas avares pour le reste ; seulement pour ce qu'ils nous donnent.

– Que veux-tu il faut les comprendre : c'est leur fric.

– Evidemment. C'est eux qui s'emmerdent pour l'attraper.

– Qui ont les responsabilités.

– Les charges.

– Les soucis d'avenir.

– Les déclarations d'impôts.

– Tout ça c'est pour eux.

– Mon dieu que je n'aimerais pas être un mari ! Ce n'est qu'une suite d'assommantes corvées ! Pourquoi font-ils ça ?

– Parce que la solitude leur est plus pénible encore : songe à leur retour le soir dans leur petit studio, rien, personne, seul avec soi-même : le vide.

– Les malheureux ! ils ont bien la plus mauvaise part. Ça n'est pas drôle d'être un homme sur la terre.

– Oui. Nous batifolons, nous papotons, nous choisissons des robes.

– durant qu'ils pâlissent au fond des bureaux, sans soleil.

– entourés de téléphones et remplis d'importance.

– C'est leur petite compensation que veux-tu.

– Heureusement qu'ils ont les guerres de temps en temps, pour souffler un peu.

– Du reste tu verras, des comptes faux c'est tout de même plus divertissant que des comptes justes, dit Julia. On invente. On finit même par s'amuser. C'est ma mère qui me l'a conseillé, elle l'a fait toute sa vie, et personne ne s'en est trouvé plus mal.

Julia est la femme de Jean-Pierre. Jean-Pierre est un ami de Philippe. Il travaille comme lui au Plan, cela crée des liens, bien que Philippe soit à la Décentralisation et Jean-Pierre au Regroupement.

– En somme vous faites le contraire l'un de l'autre ?

Comme on sort souvent ensemble, j'essaye de m'intéresser ; de participer. Non, sérieusement, je fais un effort. Je veux me mêler à sa vie. Ne suis-je pas sa femme ?

– Mais non voyons tu ne comprends pas, et d'ailleurs ce serait trop long à t'expliquer c'est un peu complexe, vois-tu il ne s'agit pas des mêmes choses. Mais en quelque sorte elles se complèteraient.

– Ah oui je vois, ça me rappelle l'histoire de ces deux architectes qui avaient reçu commande de l'aménagement de deux parties d'une ville ; l'un en haut a démoli des maisons pour faire une promenade panorama, et pendant ce temps-là l'autre en bas montait des gratte-ciel. Quand ils ont eu fini tous les deux...

– Mais ce n'est pas du tout pareil voyons. Au contraire. Moi je tente de mettre sur pied la Décentralisation de certaines industries dont l'implantation sur Paris n'est pas indispensable, et de les implanter dans des régions sous-développées qu'elles pourraient faire revivre et prospérer.

– Pourquoi ?

– Mais parce que ces régions, sinon, sont mortes, et c'est irrationnel dans un Pays de laisser de la place perdue.

– Place perdue ? Mais il y a bien quelque chose dessus... des arbres. De l'herbe.

– Et qu'est-ce que tu veux faire avec des arbres et de l'herbe ? ça ne fait pas vivre des gens. Essaye de me suivre : vois-tu Paris c'est comme le soleil, et les autres villes c'est comme des planètes qui tourneraient autour. Il faut qu'il y ait une harmonie tu comprends ? Et c'est ce que nous nous efforçons d'établir.

Heu. Paris c'est une entrecôte et les autres

villes sont comme des frites qui seraient posées autour. Paris c'est comme un éléphant, et les autres villes c'est comme des puces que cet éléphant aurait ; alors il se gratterait. Moi la preuve par l'analogie j'aime ça. Je peux lui en tirer une bonne vingtaine s'il en est à court. Quant à faire reposer la vie d'un pays dessus c'est hautement poétique voilà ce qu'on peut dire. Et que cette poésie soit entre les mains de Philippes Aignans et de Jeans-Pierres Bigeons il y a de quoi être parfaitement rassuré.

– Tandis que Jean-Pierre, vois-tu, poursuit mon doux rêveur, il s'efforce de regrouper dans un secteur donné des industries complémentaires en quelque sorte, supposons voyons... pour te donner un exemple...

– Des canards et des petits pois. Une manufacture d'armes et des condamnés à mort. Une filature et des strip-teaseuses. Un ogre et des jardins d'enfants.

– Des chevaux et des alouettes, dit Julia.

– Elles ne sont pas sérieuses, dit Philippe. On ne peut pas essayer de leur parler sérieusement.

– C'est d'ailleurs ce qui fait leur charme, dit Jean-Pierre. Sinon on ne les aimerait pas tant.

– Plus on est con plus ils nous aiment, dit Julia.

– Faut pas s'en plaindre c'est reposant, dis-je.

– C'est toi qui demandes qu'on t'explique ! dit Philippe. Et après tu n'écoutes pas.

– Mais c'est fait j'ai tout compris ! c'est vous qui assassinez les paysages, et souillez les rivières.

– La poésie c'est très beau mon chéri et c'est

charmant le tourisme, mais il faut d'abord que les hommes mangent.

– De la merde ?

Silence consterné. Philippe se racle la gorge. Jean-Pierre, galant, enchaîne avec sa finesse habituelle.

– Peut-être exagérez-vous un peu chère amie, vous poussez au noir.

Philippe se reracle la gorge pour finir de faire glisser la pilule.

– Ma femme est une réactionnaire. Elle se dit progressiste – je crois ? dit-il tourné vers moi qui n'ai jamais rien proféré de pareil, et en réalité elle est une farouche réactionnaire. Elle crache sur le progrès. Elle voudrait filer elle-même ses robes et faire du feu en frottant deux silex. Et aller chercher l'eau, non polluée, à la source dans la montagne ; à l'aube. Hein mon chéri tu aimerais ça ?

– Je ne suis pas contre le progrès, je suis contre la conne – contre le mauvais usage, du progrès. Le progrès, enfin le vôtre, est une entreprise de viol.

– Oh oh, dit Jean-Pierre, égrillard, et Philippe : Mais voyons Céline tu ne tiens aucun compte des faits... jamais du reste.

– Et vous autres vous ne tenez compte que d'un certain ordre de fait : la quantité. Plus précisément la quantité de fric que ça peut rapporter dans le délai le plus bref. Vous pensez avec des bulldozers.

– Nous sommes pressés, Céline, figure-toi. La population s'accroît à un rythme...

– Que vous faites tout pour accélérer ! Y a-t-il un Conseiller au Plan de la Natalité ? J'aimerais le voir celui-là tiens ; lui dire deux mots.

– La question n'est pas là.

– Elle est bel et bien là la question. C'est presque la seule. Et celle-là vous n'y touchez pas. Sujet tabou. La France a même l'honneur d'être un des deux pays qui se sont opposés à l'examen international du problème. Et pendant ce temps-là vous démolissez, vous dégradez, vous enlaidissez tout. Développement vous appelez ça. Merde.

– Céline, ne t'ai-je pas déjà dit...

– C'est dévastation qu'il faut dire. Cette planète, c'est un vrai chantier. Vous n'avez que le bonheur des gens en tête et vous leur faites bouffer du poison, respirer du poison, vous les faites vivre dans la laideur. La beauté ça alors ça n'existe pas du tout.

– La beauté n'est pas un facteur... dit Jean-Pierre.

– Tiens je ne vous le fais pas dire.

– ... facteur primordial. Il y en a de plus urgents et importants à considérer d'abord.

– Plus importants. Ah oui. Vous savez ça, vous, ce qui est important. Vous savez ce que c'est, des hommes, sans le sens de la beauté ? Bien moins que des bêtes. Vous n'avez pas par hasard remarqué que des civilisations disparues il ne reste que ça, la beauté ?

– Mais est-ce qu'on a à s'occuper de ce qui va rester quand ça sera disparu ! braille Philippe. On vit dans le présent !

– Moi j'adore les Egyptiens, dit Julia.

– On ne peut tout de même pas arrêter le progrès pour que tu puisses te promener dans un musée ma chérie, lui rétorque le sien.

– C'est une belle question, dis-je. Ma réponse serait oui. Malheureusement elle ne se pose pas, car avec votre sacrée bombe nous on ne laisserait même pas de musées si on faisait de quoi y mettre.

– Ça y est !... soupire excédé Philippe, et aux autres : n'y faites pas attention c'est une maniaque.

– Question bombe le monde se divise en deux catégories : les maniaques, et les aveugles.

– Et où avez-vous l'intention d'aller pour les vacances, dit Philippe, à quoi Jean-Pierre se hâte de répondre que la Turquie les attirerait vivement et hop c'est parti en direction du Bosphore, et est-ce qu'on peut visiter les rampes de lancement dit Julia moi j'aimerais visiter une rampe de lancement voir comment c'est fait, mais cette tentative n'a aucun succès et nous nous écartons d'eux pour papoter entre nous.

En sortant, Philippe :

– Alors ça ne te passera jamais ?

– J'espère bien, ça voudrait dire que je suis abrutie.

– Eh bien il faudra que ça te passe. Car moi je ne supporterai plus tes manières grossières.

– Ah c'est de la forme que tu parles. Je croyais que c'était des idées excuse-moi.

– Tes idées je m'en fous. On n'en a rien à

faire, de tes zzidées ! Tout ce que je vois c'est qu'on ne peut pas te sortir.

– Ne me sors pas. Pour ce qu'on se marre, moi j'irai voir un western.

– Mais si j'ai une femme c'est pour sortir avec !

– Ah. Je croyais que c'est parce que tu l'aimais.

– L'un n'empêche pas l'autre il me semble ! Justement ça devrait être le contraire, si tu m'aimais tu aurais à cœur de ne pas me ridiculiser en public avec tes manières de voyou !

– Ah oui. La merde vous voulez bien la fabriquer, mais pas qu'on vienne vous l'appeler par son nom sous le nez ?

– Je te prie une dernière fois...

– Voyons Philippe nous sommes seuls à présent. En tout cas ne compte pas sur moi pour l'appeler des roses, du prestige et de la prospérité.

– Eh bien vois-tu le mieux sera dorénavant de ne pas en parler du tout. Du reste c'est mon travail, tu n'as pas à t'en occuper, ça ne te regarde pas, c'est mon affaire.

– Il a raison, dit Julia. Pourquoi tu discutes avec lui ? Qu'est-ce que tu crois qu'il y a à apprendre à parler avec eux ? C'est des mondes différents. Tu n'en as rien à foutre de son business. Tu es sa femme, pas son associée. Il n'y a qu'une chose qui te concerne là-dedans : qu'il ramasse le fric et que toi tu le bouffes. On dirait que tu n'arrives pas à comprendre ce que c'est que le mariage, ça devrait pourtant rentrer à force qu'on te mouche. Laisse-les causer. Dis oui. Arrange-lui ses petits comptes. Qu'il soit content et toi tranquille. T'es un peu cloche dans le fond.

Philippe aime bien me voir fréquenter les femmes de ses amis. Il attend beaucoup de leur exemple et de leur influence sur moi, meilleure que celle de mes relations passées, desquelles je me suis éloignée de plus en plus ; du reste, je n'ai plus grand-chose à leur dire ; peut-être elles non plus...

Peu à peu, doucement, je m'y mets. On apprend, on apprend. Tous les soirs j'inscris dans un carnet les dépenses de la journée, ça exerce la mémoire et ça occupe l'esprit, papier w.-c. poubelle en plastic sac à linge sale, pendant ce temps-là on ne pense pas à mal ; à la fin du mois j'additionne. Quand on ne fait pas les comptes l'argent part en fumée dit Philippe, après on ne le retrouve plus. Tandis qu'avec les Comptes on sait où il est. C'est bien vrai : où ont bien pu passer ces vingt mille balles ? Eh bien on arrive à le savoir comme ça, à les Retrouver, et en y mettant du sien on en retrouve même plus. On est rassuré. On peut aller dormir. Là Philippe vient contre moi, et me fait l'amour. La journée est terminée. Demain une autre se lèvera, à huit heures, avec la voix de Juana nous priant de passer à table. Comment ne pas obéir ? Les bols sont posés là-bas l'un en face de l'autre, le café est en train de perdre son arôme, le lait refroidit, les œufs durcissent, et Juana perd son temps alors qu'elle a tant à faire, et on ne peut pas faire perdre à Juana le temps qu'on lui paye ce serait du gâchis ; Philippe est debout, tout armé, piaffant, au seuil d'une journée richement jalonnée de rendez-vous conseils et projets planificateurs, et qui n'attend plus que moi pour s'ébranler. Toute une journée, m'attend ; une maison m'attend ; je bloque la marche du temps, moi petite mouche indolente là dans le lit où maintenant seule je m'étale, bien au chaud. Alors, tu te lèves ? On n'attend plus que toi. Comment résister ? Trop de forces sont conjurées contre mon dérisoire sommeil.

L'expérience m'a vite montré que la résistance aux assauts était pour ce sommeil sacré plus néfaste que les assauts même ; tant il est vrai que rien n'éveille l'esprit comme l'affirmation d'un principe ; dans l'affirmation de celui-ci : il ne sert de rien que je me lève aussi, mon esprit se dressait tout armé dans une colère agapactique, et me voilà bien avancée. N'affirmons rien, flottons : je délègue parmi eux mon fantôme au premier appel ; je me mets en pilote automatique ; ce brave robot, évitant tous bruits et mouvements brusques susceptibles de troubler mon repos, s'en va beurrer des tartines, les tremper, en visant soigneusement le centre du bol afin de ne provoquer aucun accident, en particulier la Tartine-tombant-dans-le-café, et alors après pour la repêcher on s'en fout plein les doigts et elle ressort toute spongieuse, son beurre fondu, dégueulasse. Après le café au lait est gras. Et moi robot ou pas robot j'ai horreur des sensations déplaisantes comme ça dès le matin, ça donne une mauvaise impression de la vie en général, et moi le matin je dors comme ça d'un œil, même des deux, mais le troisième au fond ne va pas si mal que ça, il vit, il grouille de vie même, et il connaît parfaitement son intérêt, le mien, qui est d'écarter de nous toute peine et en particulier la pire qui puisse être faite à l'âme, savoir la Connerie. Moi le matin j'ai une âme, elle vaut ce qu'elle vaut mais c'est la mienne et je dois faire avec, et le matin je suis dedans bien au chaud, bien rassemblée, bien unifiée, fidèle, un pied dans le rêve un pied dans la vie si seulement elle se présentait devant moi dans la lumineuse beauté à laquelle, le matin, je crois. Il n'est pas vrai que le matin je dors, la vérité c'est que je ne suis pas encore endormie dans les irréalités du jour. Le matin j'ai la foi ; je ne l'ai pas encore perdue. Le matin je suis moi, moi le matin je m'aime, moi le matin moi je.

– Oui oui.

– Quoi oui oui ? Je te demande si nous amenons les Bebeje (?) dîner ici ou si nous les emmenons au restaurant. Oui oui ce n'est pas une réponse.

– Comme tu veux mon chéri, susurre tendrement le robot gardien de ma tranquillité.

– Mais non pas comme je veux ! dit le mari d'une voix perforeuse, je dois savoir, et toi tu dois prendre des dispositions.

Dispositions. Brrr. Attention mot méchant, le robot tire le signal d'alarme.

— Attends un tout petit peu...

— Attends quoi ?

— Je cherche mon rêve.

— Ton rêve ! Mais moi je te parle réellement !

Réellement. Troisième Œil note le terme avec un grincement sarcastique. Robot tente d'atermoyer.

— Si je ne mets pas la main dessus il va s'en aller.

— Moi aussi je vais m'en aller je te signale. Dans dix minutes au plus tard il faut que je.

Les notations temporelles sont particulièrement funestes. Troisième Œil gémit : touché. Philippe est une fine lame ; il connaît des bottes : dispositions, dix minutes. Je lutte désespérément.

— Mais tu reviendras, toi...

— En somme tes rêves t'importent plus que moi.

— Mais mon chéri j'ai pas dit ça, bredouille Robot, un peu à court. Je voulais te raconter parce que c'était très beau. Je passais devant une maison...

— Ecoute, moi je dois être parti dans cinq minutes si je veux être au bureau à temps, et avec la circulation par ici c'est imprévisible.

— Pourquoi tu ne prends pas le métro, tu pourrais prévoir exactement, ils passent à heures fixes par numéros.

— Et il faut que nous ayons décidé avant pour ce dîner.

Ce genre d'allusions concernant le métro lui passe toujours au-dessus de la tête, c'est bizarre lui pourtant si rationnel. Donc j'entendais une musique extraordinaire, venant d'en haut de la maison...

– ... avec les Bjebne, si c'est ici ou dehors, et avant j'ai un rendez-vous avec les Japonais à propos des tarifs doua –

Je montais un escalier à marches très hautes (quoi M. Freud, n'ai-je point pourtant baisé hier ?) et il y avait des grottes rouges (de mieux en mieux), et la musique se rapprochait et j'arrivais dans.

– très important réunion demain jusqu'à heure je

une grande salle dallée de marbre noir et blanc, qu'il fallait traverser pour

– chaussures noires

parvenir à une espèce de loggia où tombait descendant de hauts vitraux multicolores une lumière

– Juana pour l'empesage de ce col

vénitienne, sous laquelle des gens reposent sur des fourrures, non mais c'est de toute beauté cette histoire. J'ai un inconscient formidable ; un véritable artiste. Jamais je ne trouverais tout ça moi-même. La question est si je dois marcher seulement sur les dalles noires, ou sur les blanches. Question très importante, qui le niera, et dont le sens

– et demain soir nous avons à faire la Déclaration.

Déclaration de quoi ne surtout pas chercher à

le savoir. L'avenir nous le dira. Que trop. Alors dalles blanches ou dalles noires ?

– date limite pour éviter la majoration. Tu sais combien nous payons pour Juana ?

Non, non, non ! je ne veux pas le savoir ! Je ne veux pas le savoir je ne veux pas ! Robot s'affole, c'est la panique, Troisième Œil hurle de douleur. Se bouche-t-on les oreilles quand son mari parle ? Il me le dit il va me le dire ça y est c'est fait ; il l'a lâché. Le chiffre. Mortel. C'est fini. La loggia là-bas, le paradis, s'estompe, disparaît à jamais, me laissant, le pied levé entre blanche et noire dalle, sans savoir désormais quoi faire, je suis rendue au monde des humains, des réalités comme on appelle. Réveillée, comme on dit. Coupée, désamorcée. Furieuse.

– Pourquoi faut-il en parler aujourd'hui si c'est demain ! ça suffira pas qu'on s'emmerde demain ?

– Tu veux dire que je t'emmerde si je comprends bien ?

– Tu vas me dire que c'est marrant ton truc ? Alors moi je dis qu'il suffit d'un à la fois qui s'emmerde avec.

– Et ce un, ça doit être moi ?

Oh merde.

– On a chacun ses corvées, alors je dis, c'est pourtant clair : pourquoi en faire en plus des sujets de conversation qui ne sont pas drôles. On peut faire la division du travail non ? Je dis à quoi ça sert qu'on soit deux à s'emmerder sur le même en même temps et en plus en causer avant ?

– Alors à quoi ça sert d'être deux si on ne peut pas se parler.

– J'ai dit qu'on n'a pas besoin de se parler de choses emmerdantes.

– Etre deux c'est partager les soucis aussi.

– Non.

– A ton avis seulement les avantages ?

– Oui.

– C'est bien commode en effet, ma chère.

– J'ai pas dit ça, je sais pas pourquoi tu n'arrives pas à comprendre. J'ai dit que c'était pas la peine de partager les sujets emmerdants i-nu-ti-le-ment.

– Et si je te dis que tu m'as dit que je t'emmerde tu me diras que tu n'as pas dit ça ?

– Hein ?

Il ne faut tout de même pas m'en poser de trop dures à cette heure-là.

– Et quels autres sujets de conversation as-tu à m'offrir ? Hein ? Vas-y, je t'attends. Tu restes le nez dans ton bol sans dire un mot, il faut bien que je fasse les frais.

– Pourquoi ? Le silence c'est bien aussi.

– Charmant ! En somme je n'ai qu'à me taire !

– D'ailleurs j'ai voulu te raconter mon rêve, qui était beau. Ça c'était intéressant.

– Pour toi peut-être. Mais moi tes rêves ne m'intéressent pas.

– Tu vois.

– Je vois quoi ?

– Toi tu ne te gênes pas pour me dire que je t'emmerde. Même tu vas beaucoup plus loin.

– Mais moi ma petite fille moi j'ai autre chose à faire moi ! que des rêves ! J'ai des réalités, moi, à penser ! Pendant que tu planes dans ta poésie moi je m'occupe de choses concrètes.

C'est pas permis de maltraiter la sémantique à ce point-là, note Troisième Œil, très pointilleux sur cette question dès potron-minet. Mais nous n'allons pas ouvrir une discussion sur les définitions des mots avec un tel âne.

– De toutes façons maintenant il est parti, mon rêve, tu as gagné.

– Eh bien, tant mieux ! comme ça tu pourras faire attention à ce que je dis durant les quelques secondes qui me restent, qui ne me restent même pas je suis en retard, grâce à toi. A tes rêves. Je te jure. Bon, je n'ai pas non plus le temps de discuter tu as de la chance. Alors où on dîne ?

– Restaurant. (ça me fera un peu moins chier)

– Alors tu me retrouves à huit heures.

– Où ?

– Parce que ça tu n'as pas entendu non plus ?

Le diable sait tout ce que je n'ai pas entendu. A part Chaussures Noires et Col Empesé je ne sais rien de cet homme aujourd'hui. Dieu soit loué il vogue maintenant au volant de sa belle voiture néanmoins encore de série mais ça va changer, quand on aura liquidé les frais de l'appartement l'avance de papa le second tiers, vogue, avec ses onze chevaux fiscaux à six à l'heure dans la rue de la Pompe, au milieu de ses pareils chevaliers en Plans Comités Réunions Téléphones Efficience Développement Réalisations Equipement Standing Entreprises Coordination Investissement Reconversion Promotion Prospérité et Balai de Crin, tous ensemble au coude à coude à six à l'heure vers la Fortune du Pays en passant d'abord par la leur, si possible.

Et moi pendant ce temps-là

Moi pendant ce temps-là

Moi pendant ce temps-là, tralala. Pendant ce temps-là je loggia. Je lumières vénitiennes. Je musique. Je dors.

Le monde appartient à ceux qui se lèvent tôt. Mais, quel monde ?

Une des grandes jouissances du mariage c'est l'absence du mari. On ignore ça si on n'y est pas passée. Vautrée sur le divan de la chambre à donner, je ramasse les morceaux. Une idée de moi ça, faire une chambre à donner ; ça a plu, ça fait bien ; et maintenant à donner à qui, sinon à moi ? Toutes les autres appartiennent à Juana, elle a des raisons d'y entrer contre lesquelles les pauvres miennes ne sauraient prévaloir. De la chambre conjugale sitôt des époux quittée elle doit secouer les linges, dedans elle doit faire pénétrer l'air, l'air de la rue de la Pompe mais quoi, on continue d'appeler ça air par tradition, la tradition ça survit longtemps aux réalités, il faudra quelques bébés asphyxiés à la suite d'une fenêtre ouverte pour inciter à une revision du terme. Mais dans la chambre à donner il n'y a pas d'air à faire entrer, il n'y a rien, aucun prétexte qui justifie une intrusion et l'occasion alors saisie de me demander ce qu'on mange aujourd'hui. Je m'en fous de ce qu'on mange aujourd'hui j'ai pas faim. Je n'appartiendrai à Juana qu'à onze heures, temps où l'idée de nourriture a presque cessé de m'écœurer. Et pour obtenir ça n'a-t-il pas fallu que je lutte ! que je mette sur pied toute une organisation ; un programme ! Moi. Il a fallu. Ménage de trois pièces. Et à onze heures, plouc, elle croirait me mécontenter si elle avait une minute de retard, elle arrive, et je dois lui trouver autre chose à faire. Ce que cette malheureuse peut être assoiffée de travail c'est démentiel. Dix minutes les bras ballants elle ne supporte pas. Ça doit être gai dans son pays. Elle a le sentiment de voler son argent, Dieu sait pourtant qu'on ne lui donne pas lourd ; et, pour lui ôter ce sentiment funeste de me voler je dois travailler à lui trouver du travail, moi qui ne suis pas payée. Est-ce juste ? Voilà bien le revers de l'esclavage, que le maître y est lui-même précipité. Alors je dois me mettre à penser à des choses emmerdantes pour lui en trouver une à faire, et qui soit utile en plus. Le labeur que ça me procure d'occuper la bonne c'est pas croyable, jamais j'ai sué autant quand j'étais à mon compte, jamais je ne me suis tant penchée sur les travaux domestiques, que depuis que je suis comme on dit servie. Opération d'une rentabilité remarquable. Je lui ai dit : Prenez donc un livre ; ou tricotez-vous un pull-over.

– Vous êtes folle ! se récrie Madame Aignan. Ne leur dites jamais des choses pareilles ! Vous les gâchez ! Et puis, ça les trouble. Ces gens-là ne sont pas habitués. Vous croyez être gentille mais en réalité vous leur rendez le plus mauvais service ! Elle ne vous en sera pas reconnaissante allez ! Au contraire, ne lui laissez pas une seconde pour souffler, elle sera beaucoup plus heureuse. Et soyez sur son dos : ça les rassure dans le fond. Croyez-moi, je sais ce que c'est que les bonnes.

Selon Stéphanie, elle en a usé 183.

– Mais si je dois être tout le temps sur son dos alors autant le faire moi-même j'irai plus vite, ce n'est plus la peine d'avoir une bonne.

– Ecoutez, c'est déjà assez difficile d'en trouver à notre époque, vous avez de la chance d'en avoir, au moins profitez-en.

Ils ne cessent de m'émerveiller.

– L'espèce française est en voie de disparition en effet, dis-je, plus pour prolonger le plaisir que dans l'espérance de convaincre, mais avec le nouveau marché d'esclaves méditerranéens ça s'est bien arrangé...

– Oui bien sûr nous avons encore cette chance dit la brave femme, alors raison de plus pour en profiter. D'ailleurs Philippe a besoin d'une bonne, il a été habitué comme ça. Dès tout petit, vous auriez dû voir comme il savait commander.

Charmant bambin.

– Je suis certaine que vous savez faire « ces

choses-là » ma chère enfant, dit-elle, délicatement allusive à ma supposée humble origine, mais Philippe voyez-vous, ça le dérangerait.

Pauvre Philippe. Alors à onze heures au boulot. Stupéfiante activité : penser aux carreaux, aux petites cuillers en argent (pourquoi en argent, ça donne goût à tout, enfin ils sont habitués comme ça). Aux cuivres. Penser. Division du travail : une pense, l'autre écoute et fait ce qu'elle a entendu. Alors elle oublie : comment retenir des mots ? Surtout quand on ne sait pas la langue, ça c'est l'inconvénient de l'esclave importé. Alors l'autre doit penser à se souvenir de ce que l'autre a oublié. Examiné sous l'aspect de l'efficience comme ils aiment dire c'est un système étonnant. Tout le monde a davantage de travail. Admirable. Et qu'est-ce qu'on va manger ? Du temps du célibat je me rendais compte de ça en traversant un marché la faim au ventre, jamais je ne m'amusais à y réfléchir d'avance. Je dis à Juana : achetez ce qui est beau aujourd'hui. Mais elle ne peut pas. Elle ne sait pas si ce qu'elle trouve beau, elle, va nous plaire ce jour-là, justement ce jour-là, et en fait ça ne nous plaît pas, on aurait voulu plutôt autre chose, mais on ne le savait pas avant de voir arriver le truc qui ne nous plaît pas. Juana ne veut pas prendre des responsabilités pareilles, elle veut savoir ce qu'on veut, qu'on ne puisse plus rien dire après. Et je la comprends. Mais comment le savoir nous-mêmes ? Alors j'invente : j'invente des choses à manger, comme ça, au hasard, abstraitement, je les sors de ma tête où il n'y à rien, je n'ai pas des boutiques dans la tête, alors je dis les premières choses qui y viennent, c'est n'importe quoi, je ne sais pas si j'en ai envie, encore moins si Philippe en a envie, s'il en aura envie aujourd'hui, tout à l'heure, ce soir ; je ne sais rien. Et voilà un beau morceau de temps frais gâté dans cette activité insensée, qu'il faudra renouveler demain, et après-demain, et chaque jour, et songer qu'il y en a 365 dans une seule année et que des années il y en a on ne sait pas combien et qu'à chacun de ces jours la question sera posée et devra recevoir une réponse. Un jour, un de ces jours innombrables, tout à coup voilà on ne supporte plus de se demander que mange-t-on aujourd'hui ? on se met à se demander pourquoi, forcément. C'est obligatoire. On peut tenir assez longtemps mais un moment vient, où c'est obligatoire. C'est la question la plus bête du monde mais là elle est bel et bien posée par les faits et maintenant il est trop tard et elle ne comporte qu'une seule réponse : pour rien. « Que fait-on aujourd'hui Madame pour le déjeuner ? » On ne déjeune pas aujourd'hui Juana, je ne vois pas de raison de déjeuner, vous en voyez, vous ? De continuer comme ça ? Pensez-y une minute. Vous voyez. Juana s'enfuit à la cuisine, et ouvre le gaz. Nous allons manger au restaurant. Enfin, un menu.

★

C'est avec les Bigeon et les Benoît qu'on dînait. Une fois ce sera avec les Benoît et les

Duplat, ou les Duplat et les Bigeon. Les. Ça marche toujours par paire. Couple ils appellent. Ou : Ménage, Jeune Ménage ; pl. « les Jeunes Ménages ». Un terme affriolant il faut dire. Philippe a retenu une table dans un de ces endroits où il faut retenir ses tables sinon ça aurait l'air de dire que n'importe qui peut y aller, et qui est n'importe qui ? alors tout le monde réserve ; un de ces troquets où on vous fait griller votre côtelette sous le nez comme ça on profite de tout, la vue l'odeur et la fumée. Le prochain tour des gargotiers à la coule, qui auraient bien tort de se gêner, ce sera de leur faire faire leur tambouille eux-mêmes ; poêle en mains, couverts de taches de graisse, ils seront ravis. Rien qui aime autant se sentir près de la Nature que les bourgeois. Moi si j'ouvrais un restaurant je ne réserverais des tables que si Madame vient dès le matin faire la corvée de pluche. On stationne là deux bonnes heures parce qu'avec ce système le service est long forcément et il y a foule puisque tout le monde va aux mêmes endroits le temps qu'ils sont à la mode, on est les uns sur les autres, ça beugle parce que chacun veut se faire entendre par-dessus les autres qui beuglent ; on étouffe, on est enfumés, des bêtes y tiendraient pas elles sonneraient l'alerte. Mais on n'est pas des bêtes. On tient. On appelle ça sortir. Après il est trop tard pour aller au ciné. Moi je voudrais voir un western. Alors on va dans une boîte ; on s'assoit ; on commande des whiskies. On est là. De temps en temps, deux s'en vont sur la piste faire un tour. On commande d'autres whiskies.

La fumée des cigarettes succède à celle des côtelettes. Mes yeux me piquent.

Avant, mes yeux ne me piquaient pas. Il n'y avait pourtant pas moins de fumée dans toutes les boîtes c'est pareil. Avant je dansais. Bon, mais alors, je dansais. C'est quand on est complètement mort que ça commence. Et puis il ne faut pas être avec son mari. C'est un fait. Triste mais un fait. Quand on est avec son mari, on ne dit pas les mêmes choses, on ne fait pas les mêmes choses. Même Loula quand elle est seule elle est tout de même moins con, c'est pour dire. Et moi, qu'il se lève seulement pour aller pisser je deviens tout de suite plus brillante ; il revient je ternis. Pourquoi ? Un miracle. Faut-il supposer qu'un enchantement de même nature agit également sur eux ? On voudrait le croire ; ça laisserait espérer qu'ils peuvent être autre chose que ce qu'on en voit. Mais alors ce qui devient bizarre, c'est pourquoi on persiste à se fourrer ensemble si cela produit un résultat si universellement constipant. Drôle d'institution. Pourquoi, pourquoi ? Pourquoi ? Moi j'arrive ; je regarde. J'ai l'œil frais. Ça m'étonne encore. Les autres n'ont pas l'air de s'apercevoir. Ils causent. Ils ont mille sujets. Les films, les pièces, les autos, les autres gens. Là la fumée commence à me piquer. Piquer Piquer piquer. Le whisky est amer. Il donne soif. L'eau piquante donne soif. Le citron pressé donne soif. Je fais des mégots de cinq centimètres. La cigarette donne soif. Ou bien on va faire un bridge, chez l'un des Jeunes Ménages. Glace whisky eau piquante cigarettes.

Soif. Je joue comme un cochon au bridge. Au départ j'ai eu une période brillante, Philippe était ravi, enfin une chose qu'elle sait faire. Et puis je me suis mise à jouer comme un cochon, je ne savais plus les cartes qui étaient passées, quel était l'atout, qui avait demandé, et je jouais contre mon partenaire ; j'aimais être le mort. Il y a sans doute des limites. Après le bridge quand on est en forme on passe au poker. Tout le monde pense que je joue comme un pied, d'une façon bizarre disent-ils pour être polis. Il paraît que je trouble le jeu, je casse des coups, je l'empêche d'être comme il devrait, du Beau Poker. Peut-être mais chaque fois c'est moi qui pars avec de l'oseille. Ils sont mécontents : donner leur fric à quelqu'un qui joue aussi mal ça les peine. Mais moi c'est la seule chose qui m'intéresse, leur prendre leur fric ; je fais n'importe quoi pour atteindre cet objectif ; je tricherais, si je savais ; je veux leur fric. Puisque je suis là à m'emmerder, il faut qu'ils payent pour ça. Eux ils veulent faire du Beau Poker. Pour l'Art. Moi le poker je m'en fous je veux empocher leur fric ; et j'y arrive.

– Est-ce que tu aimerais l'argent ? dit Philippe, pas tellement fâché au reste de voir paraître ce trait de ma nature. Si le jeu révèle le vrai caractère des gens, et je le crois, ma parole Céline tu aimes l'argent.

– Ça dépend lequel.

– Oh non ça ne dépend pas lequel. L'argent c'est toujours l'argent. Ce serait une surprise...

En tout cas avec celui-là je me suis enfin payé

mon froc ; de toutes façons j'ai toujours vécu « d'expédients » comme dit Philippe ; et pas n'importe lequel, un beau, d'une espèce de bleu pas tout à fait cobalt, en soie élastis, du tonnerre, et Philippe n'a eu rien à dire, ça ne paraissait pas sur les comptes. Ce serait injuste de prétendre qu'on n'a pas des petites joies. Naturellement je ne peux pas le mettre quand on « sort ». Quand on sort, nous les bonnes femmes on est toutes habillées pareil à peu près. Sauf que moi je n'ai pas encore mon étole. Je débute il est vrai.

– Tu l'auras, dit Julia. En commençant à le travailler dès maintenant tu peux l'attraper pour ton petit noël de l'année prochaine. Avec sa situation Philippe ne peut pas traîner trop longtemps une femme sans vison, ça ferait jaser.

– Je m'en fous du vison j'en veux pas.

– Allons ne dis pas ça ; ne sois pas injuste. C'est plein de qualités le vison, c'est chaud c'est léger c'est joli ça va à tout le monde, et puis c'est solide. En cas, ça peut durer plus que le mariage.

Quand il y a Julia, ça va encore. C'est une vraie professionnelle. Elle est mariée parce qu'elle ne sait rien foutre et qu'elle a la cosse. Je l'aime bien : elle sait où elle est. J'aime bien les gens qui savent où ils sont, qu'ils soient n'importe où. Dans le fond, considérant ce que nous sommes l'une et l'autre, parties sur des principes différents, elle est beaucoup moins pomme que moi.

– Pourquoi tu ne t'es pas mise putain ?

– Trop fatigant. Toujours monter. Et puis tu te rends compte, combien de fois par jour ? Avec Jean-Pierre, je m'en tire avec une ou deux la semaine. Un seul homme, ce n'est jamais le diable.

– Tu n'aimes pas les hommes ?

– Trouve-m'en, et alors je te dirai. Avec ce qu'on a, dit-elle, ponctuant d'un regard panoramique, où veux-tu qu'on aille ?

★

De fait. Les derniers que j'aie aperçus c'était je crois bien pendant le Voyage de Noces. En général ils gardaient des bêtes. Non que j'aie un goût pervers pour le sauvage, mais il faut reconnaître que la virilité semble aller en raison inverse de l'urbanisation, si idiot, incommode et au fond illogique que ce soit. En tout cas, j'ai vu des hommes, là-bas ; je l'ai même fait remarquer à Philippe. Dans ce temps-là, je croyais à la Sincérité dans le Couple. J'ai fait une réflexion des plus banales, à propos d'un type sur un cheval, le cheval était également superbe, je crois avoir comparé les deux. On voit, ça n'allait pas loin. En plus on passait en voiture à quatre-vingts, vitesse touriste. Mais Philippe n'a pas aimé.

– Tu attendras que je ne sois pas présent, si vraiment tu ne peux te contenir. Ce sera plus délicat.

– Mais Philippe... Mais je ne lui saute pas dessus ! Je n'y pense même pas ! D'ailleurs à cette vitesse ç'aurait pas été commode, je suis pas un cow-boy.

La plaisanterie ne lui a pas plu non plus, il l'a trouvée grossière. Il a horreur de la grossièreté. Et puis entre la pensée qui vous traverse et le fait accompli il a trouvé que la distance était bien mince, juste l'occasion. Hein ? dit-il. Pour être franc.

Pour être franc, évidemment en cas de circonstance propice, seule, célibataire, désœuvrée, la voiture en panne supposons, et le cheval aussi, je ne peux pas jurer. Surtout ne faisant que passer. C'est seulement ainsi qu'on connaît vraiment les pays ; que je comprends les voyages. Pas les voyages de noces bien sûr. Mais par là on voit bien que tout est, comme le dit Philippe, affaire de circonstance. Cependant, puisqu'entre le fait accompli et le fait non-accompli il y a tout de même la différence qu'il n'y a rien, j'avais cru qu'on pouvait parler.

— Alors on ne peut pas parler ?

Peut-être dans la littérature dont j'ai l'habitude (il me prête des lectures étonnantes, j'aimerais connaître les titres). Mais cette littérature est frelatée (des titres, des titres !). Et, puisque tu sembles vouloir aborder ce sujet par la bande, il n'y a qu'une fidélité : ne pas avoir l'idée même de regarder ailleurs.

Ah c'est bien vrai. C'est dans l'évangile. Je m'abîme en méditation. Philippe il est fort. Il manie l'Absolu comme d'autres le club de golf. Reste plus après ça qu'à être parfait, à la hauteur de si divines exigences. Je me demande s'il y a songé, en ce qui le concerne. Mais il a de la veine : ce n'est pas ici dans cette ville, dans ce milieu, que ce genre de problèmes peut devenir brûlant, comme le fait remarquer Julia en d'autres termes. La catégorie que nous hantons, complet-veston cravaté, chasseurs de fromage dans les allées de l'Industrie et de l'Etat, n'est point de nature à éveiller d'irrépressibles désirs. Que faire d'un Jean-Pierre Bigeon, d'un Hervé Benoît ? Ce sont des lampadaires. Un chien pourrait leur pisser à la jambe, mais non une femme les rêver dans son lit ; bien que ces innocents se comportent comme s'ils étaients sûrs du contraire ce qui nous fait toujours marrer. Comme dit Philippe, l'idée même n'en vient pas, et dans nos milieux, à moins de souffrir de bovarysme chronique ce qui est un cas courant mais pas le mien car je suis arrivée au mariage sans retard d'affection, on n'a pas de mal à être fidèle. Je le suis. Selon l'évangélique principe de Philippe je ne lève même pas les yeux sur eux, c'est tout comme s'ils n'existaient pas. Si Philippe ne prenait avec eux, le temps passant, quelques ressemblances, il n'y aurait pas lieu de s'inquiéter du tout.

Philippe, du reste, est content comme ça. Avoir réussi à faire d'une roulure de mon espèce, trouvée quasiment dans le ruisseau, dans une party c'est pareil, avoir réussi à faire de moi une femme fidèle, c'est un triomphe, qu'il attribue à ses mérites, celui y compris de me combler quotidiennement, sauf les trois jours où une femme est impure ; enfin ils sont quatre à présent, et je sens que je vais à cinq. Comme ça. Je ne saurais dire pourquoi. La vie, probablement.

– Tu peux arriver jusqu'à six sept sans invraisemblance, plus la migraine de la veille et le repos du lendemain, dit Julia. Ils savent qu'on est des enfants infirmes ça ne les étonne pas, je pense même que ça leur fait plaisir.

– Peut-être pas Philippe. Il lui faut tous les jours.

– Tu l'as mal habitué.

– Que veux-tu, quand on tombe amoureuse ! Je n'allais tout de même pas me priver moi-même. Et je crois que c'est dans sa nature, en somme ce serait plutôt une qualité.

– Dans la tienne aussi si je comprends bien.

– Je ne sais pas. Il est vrai que je ne me suis jamais laissé dépérir. Quoi, c'est bon de faire l'amour, non ?

– Oh moi tu sais je suis à moitié frigide.

– Mais c'est affreux ! Tu devrais voir un médecin ! Un psychanalyste ! Tu ne peux pas rester comme ça ma pauvre ! Ecoute raconte-moi ta vie je vais t'arranger ça dans le fond il suffit d'un peu de bon sens. Tu mettras les visites dans les comptes, ça te fera des économies...

– Oh ce n'est pas la peine y a pas de mystère : un jour j'ai eu la flemme. Au début ça allait, enfin quand je tombais sur un pas trop maladroit. Et puis un jour tout d'un coup j'ai eu la flemme. Rien à dire de plus. Je pense que je m'y suis trop ennuyée. J'ai perdu courage.

– Bien sûr, si tu t'ennuies. Pour jouir il faut être un peu inspirée. On n'est pas des machines.

— Inspirée. Tu es drôle. Et tu en trouves toi des hommes qui t'inspirent ?

— Pas dans ce milieu-là évidemment. A part Philippe : c'est mon premier bourgeois. Mais ailleurs, parfois. A l'étranger, principalement. En somme, j'en ai trouvé. Peut-être que dans la plupart des cas je prends des vessies pour des lanternes. Qu'est-ce que tu veux j'ai tellement envie qu'ils soient des lanternes ! Des phares ! A la moindre lueur je me précipite, remplie d'espoir. En général c'était une illusion d'optique, je m'en aperçois plus tard. Mais pendant que je nourris l'illusion, je, c'est une merveille quoi.

— Evidemment si tout repose sur ton imagination. Moi je n'ai pas d'imagination. Je vois ce que je vois.

— Peut-être. Mais pas sûr. Pas tout repose. Il y a quelque chose quelque part tout de même. Peut-être de tout petits morceaux. Un ici, un là. Tout petits. Peut-être pour ça qu'il faut s'en offrir des tas. Peut-être que dans la vie il n'y a que des petits morceaux. La perfection c'est au ciel.

— Voilà que tu crois en Dieu ?

— Mais non, j'essaye de traduire. Et s'il n'y a que des morceaux ? peut-être qu'il faut le prendre comme ça, et je ne sais pas. Bien sûr je ne sais pas, je ne suis pas un sage chinois. Je commence toujours par croire que le truc est complet. Peut-être qu'il faut cette illusion ; ça aide. Je mélange avec d'autres trucs, le paysage, le temps qu'il fait, une chanson qu'on joue au même moment. Ça arrive à faire un tout. C'est mystérieux tout ça. Une fois j'ai fait l'amour avec la lune.

– Ou peut-être tu es tout à fait folle.

– D'accord je déconne. Mais marre-toi, tiens, toi tu es frigide et moi pas, qui est fou ? Et puis non et non je ne suis pas folle. C'est moi qui ai raison : c'est beau la lune. Fou qui ne le sait pas.

– Et Philippe c'était quoi ? La planète Mars ?

– Je n'en sais foutre rien. C'était l'aube ; il m'a tirée d'une party bordelique, m'a fourrée dans sa voiture et m'a jetée sur un pré...

– Il t'a prise pour une vache ?

– Le soleil se levait.

– Je comprends.

– L'air était frais et pur.

– La route large.

– La route du Carmel.

– Hein ?

– Du Carmel et de Damas réunis. Il m'a dit : ça ne fait pas une différence, avec là-bas ? il voulait parler du truc d'où on sortait ; il ne m'avait pas quittée des yeux de la soirée. Il m'a dit : ça vous satisfait, tout ça ? il voulait dire : la débauche. « Au fond de vous-même, ça vous satisfait ? » Au fond de moi-même, à l'aube, ivre, tu parles. Il m'a demandé : « Est-ce que tu es heureuse, comme ça ? »

– Et maintenant, tu es heureuse ? dit Julia.

On est invité à l'abandon total, et on se retrouve intendant de maison. Au Carmel aussi il est vrai on n'affronte que d'humbles travaux, qu'il faut accepter d'un cœur joyeux, pour la gloire de Dieu. Amen.

J'ai été sage comme une image, Dieu témoigne. J'ai fait tout ce qu'il voulait. J'ai répondu à la demande, avec précision. Si, dans une période d'adaptation, il m'est arrivé de me montrer rétive, je suis cependant venue à reddition chaque fois. Et maintenant, je ne conteste plus. Je fais. Que celles qui ne sont pas tombées me jettent la première pierre. Tout ce qu'il veut, il l'obtient. Tout ce qu'il attend d'une Femme-une-vraie, de l'Amour Absolu et sans réserve, il l'a. Les chaussettes sont lavées. Les cols sont, ou ne sont pas, empesés. Les chaussures noires sont noires. Il n'y a pas de taches aux costumes. Le papier est renouvelé dans les chiottes à mesure des besoins. La table est mise quand il rentre.

Les comptes sont tenus. Je me lève avec lui et je discute le programme de la journée. Il y a un menu tous les jours, qui tient compte de ses goûts et de son métabolisme. Je donne à dîner. Ma table a de la réputation : moi comme je n'ai pas été élevée chez les bourgeois je sais ce que c'est que la gueule, quand je donne à manger aux gens je leur donne à manger, après ils ne peuvent plus se traîner et le lendemain ils ont des crises de foie. J'ai enseigné la cuisine française à Juana, ce pour quoi je me suis donné la peine d'apprendre l'espagnol et maintenant je le parle, un bienfait n'est jamais perdu et ça fait riche quand je donne des ordres. Comme, en outre, je réfléchis, ça produit des résultats, par exemple, un Belge, je ne manquerai jamais de mettre des patates sur la table en plus du légume, un Italien aura son parmesan et ses cure-dents ; etc. ; Philippe reçoit beaucoup dans le pays limitrophe, Petite Europe Marché Commun et Tutti Quanti. Pour les simples familiers, je me souviens de ce qu'ils aiment, et n'aiment pas, s'il y a une erreur c'est toujours exprès.

Les Beaux-parents sont entièrement revenus de leurs préventions. Je les appelle Mère Père Belle-Maman Beau-Papa au moins trois fois dans chaque phrase, je ne fais jamais rien à moitié, le seul moyen d'arriver à y trouver des joies, enfin les joies qu'il peut y avoir dedans, c'est de faire les choses à fond. Je cause : je dis oui oui bien sûr. J'approche les cendriers des fauteuils, j'allume les cigarettes (très apprécié), pas une ne m'échappe, une cigarette sort et hop, je suis là, avec un briquet allumé. Je crois que je pourrais à présent sortir le revolver aussi vite que les gunmen. Je fais repasser les plats trois fois, toujours bien pleins (ce qu'on peut foutre en l'air comme boustifaille dans cette baraque c'est un scandale, je devrais tenir soupe populaire ouverte à l'entrée de service si j'avais un peu de cœur). Je veille au constant remplissage des godets, jamais un verre vide dans mon champ visuel, j'ai un bar presque comme Harry's, je bourre mes clients comme des outres, une vraie petite Geisha. Y a pas de milieu. A mon apéritif on ne passe pas seulement l'olive, mais le saucisson en plusieurs espèces, la crevette suivie du rince-doigts, et quand je suis un peu de mauvais poil le caviar. Philippe regarde ça non sans douleur, mais les gens en ont tellement plein la vue qu'il est consolé. Parfois je sors les chandelles ; ça coule ça pue ça éblouit mais ils aiment tellement ça le bon vieux temps. Et je n'hésite pas à servir à table sur nappe brodée la potée auvergnate ou le haricot de mouton, qu'ils ont si peu l'occasion de manger ailleurs. La potée aux chandelles, c'est chic. Ça leur va bien. Durant qu'ils bâfrent l'électrophone à changeur leur ressert en sourdine un dîner en musique préalablement ordonné, Suite pour les Dîners du Roy c'est bien le moins ou Petits Riens, avec parfois une erreur, un disque qui s'est glissé, Mingus ou Mandalay song ou Mon Berger Fidèle, une fois ils ont eu l'Affiche Rouge ça a jeté un froid. Après ils ont le choix entre toutes les races de whisky. Il faut être parfait ou bien c'est pas la peine. Je vais de l'un à l'autre, je me déploie ; je n'arrête pas. Du reste, que ferai-je si je m'arrête ? Au moins comme ça je suis occupée, le temps passe, la soirée se tire.

A son issue je ressens une bonne fatigue physique, surtout les pieds d'être restée tout le temps debout. Philippe me prend dans ses bras, il est content, il me répète les mille compliments qu'il a reçus sur sa femme et dieu sait qu'ils me vont droit au cœur, j'ai d'exquises délicatesses, des idées si charmantes, je me donne tant de peine, je veille à tout. Qui peut trouver une femme vertueuse ? Le cœur de son mari a confiance en elle, Elle lui fait du bien, et non du mal, Tous les jours de sa vie. Elle travaille d'une main joyeuse. Elle est comme un navire marchand. Son mari est considéré aux portes. Elle est revêtue de force et de gloire, et elle se rit de l'avenir...

... La grâce est trompeuse, et la beauté est vaine.

Il les sent passer ses dîners Philippe je n'y vais pas de main morte ; mais quoi : ça rapporte. Ce n'est pas de la dépense c'est du placement. D'ailleurs il peut le retrouver son argent, il est dans le livre y compris les chandelles.

Je ne dis plus merde en public. C'est vrai, à quoi bon ? Au reste je parle peu, je n'exprime pas mes idées ; au fait, il ne m'en vient pas. Je suis polie aimable douce — comme votre femme est douce ! Je manque peut-être un peu de brillant, mais on ne peut tout avoir. Et ça ne gêne pas, pour parler les autres sont là. Moi j'ai perdu l'habitude ; ça se perd vite. J'écoute, j'écoute, comment pourrais-je dire ? avec ma troisième oreille. Elle a poussé, tout d'un coup. Pas ce qu'ils disent (qui n'a jamais aucun, aucun, aucun intérêt) mais comme ils disent. Le rythme. Le son. C'est curieux. Beaucoup plus intéressant. L'un mettons dit Blanc (peu importe le sujet, un film, les Russes, la question n'est pas là) ; l'autre dit Noir. Blanc parle, Noir attend ; pas la conclusion : un creux, alors il s'y précipite en boulant sa phrase. Blanc n'écoute pas : il surveille Noir pour ne pas louper le moment où il fera un creux, soit qu'il allume sa cigarette ou qu'il boive une gorgée, afin de s'y ruer à son tour et se mettre à parler ; il écoute très bien ce que lui-même dit ; et Noir pendant ce temps-là, attend. En général ils sont plusieurs sur le même os, alors ils entrent tous ensemble dans chaque creux qui se présente et ça se met à pépier comme des mariages de moineaux, jusqu'à ce que l'un gagne. Et toutes leurs phrases commencent par : Moi Je.

Exemple : « Moi je trouve que la Victory est la meilleure voiture existant actuellement sur le marché, dit Jean-Pierre Bigeon, qui du reste ne sait rien dire d'autre. Sa compression... » — pour la suite et le détail exact consultez le prospectus de la marque. Car ce qu'il y a de remarquable c'est qu'une fois placé le Moi Je ils répètent mot pour mot ce qu'ils ont piqué à l'extérieur, contenu, syntaxe et vocabulaire. Tout ce qu'ils ont à eux c'est le MoiJe, le reste est pur reflet. C'est dans le MoiJe qu'est tout l'apport original, toute la charge émotionnelle. Le texte, pas la peine de l'écouter ; par contre, ce qui mérite l'attention c'est le son : c'est tout en nerfs, étranglé, comme coincé quelque part ; sans épaisseur ; ils sortent parfois des aigus prodigieux, qui mettraient des bêtes en fuite. Mais comme personne n'écoute personne ne fuit. Si au lieu d'être là à essayer frénétiquement d'attraper le crachoir ils prêtaient seulement l'oreille au son, ils feraient sans doute les mêmes observations que moi, qui sont vraiment élémentaires il suffit de ne pas être sourd ; et après ils ne pourraient plus sauter dans ce nid de frelons. Moi, je ne peux plus. Ça m'a passé. J'ai pris une distance, oh pas grand-chose, j'ai l'air à la même place – mais curieusement infranchissable désormais. Une vitre ténue nous sépare. Je ne sais pas de quoi elle est faite : je l'ai produite par un petit mouvement de recul, imperceptible, que j'ai fait un jour ; depuis ils sont dans un aquarium.

Je me souviens comme d'un monde prénatal du temps où je grouillais avec eux, livrée à la colère et aux injures vaines. Je ne pourrais plus, même si je voulais. Ils sont comme des images enregistrées sur un écran, et leurs paroles, telle la voix des dauphins, me parviennent par l'intermédiaire d'une bande séparée. Deux mondes décalés : dans l'un on est en état d'hypnose ; dans l'autre on est éveillé. Selon les apparences, l'agitation des corps, l'excitation des voix, c'est eux qui sont éveillés, et moi, muette et immobile, qui dors. Du reste, je sens bien que je dors. Je crois que je suis devenue schizophrène. Ah mais que le diable me brûle le cœur, les fous véritables, c'est eux !

En tout cas je me repose, ainsi ; si on s'adresse à moi je réponds toujours oui oui ; et ça marche très bien ; de toute façon ils n'écoutent pas. Mon opinion, qui s'en soucie ? Et moi-même, qu'ai-je à foutre d'opinions. On peut s'en passer. Je crois que je n'en ai plus. Bah bah bah. Combien de sucres. Ils sont contents. Philippe est content.

En vérité tout n'est pas encore parfait, je renâcle à la rédaction commune de la Déclaration ; je ne réponds pas à temps aux lettres, je laisse traîner les cartes de vœux, quelques factures ; j'oublie d'acheter des petites choses dont Il a besoin, je ne classe pas à mesure les papiers Maison dans le machin réservé à cet usage, à soufflets, qu'Il m'a pourtant acheté pour m'aider, j'ai encore des négligences, des défaillances, qui, lorsqu'elles se reproduisent trop souvent, L'agacent, Il est obligé de me faire la remarque c'est fatigant pour Lui qui a beaucoup à faire déjà – mais enfin on y arrivera peu à peu, ça aussi ça finira par s'arranger, se tasser ; comme le reste.

Je m'organise vraiment de mieux en mieux. J'arrive même à avoir du temps à moi. Bon, mais quoi en faire ? Je ne sais pas. J'ouvre la porte de la chambre à donner : elle est vide.

Je ne rêve plus. Ou bien je ne me souviens plus ? Je suis toute claire. Sans doute n'ai-je plus d'inconscient. J'appelle : pas d'écho. Je parcours l'appartement, living, quatre pièces dépendances, je regarde si rien ne cloche ici ou là. Je glande. Chambre à donner, à personne. Je referme doucement la porte. Je fais peu de bruit. Je n'aime pas le bruit. Les miroirs me renvoient mon ombre au passage dans les corridors : qui est-ce ? Je n'aime pas cette dame là-bas, qui passe, dont le visage lisse et pâle reflète une absence. Je l'évite. Je ne veux pas l'affronter. Agréez Madame mes salutations distinguées. Fuyons. Lire, mais quoi ? La chair est triste hélas, – ah non ! c'est de quelqu'un que je déteste. Détestais. Je ne sais plus qui. Je me souviens seulement que je le détestais, et spécialement cette phrase-là n'était pas pour moi. Moi qui ? Moi-maintenant s'endort sur les premières pages des livres ; ce ne sont que des caractères imprimés après tout. Le téléphone me réveille, c'est Loula qui a trouvé un nouveau masseur, avec des mains formidables, c'est Elisabeth, son gosse a la rougeole, c'est Minou, est-ce que je veux aller avec elle chez cette cartomancienne extraordinaire ? j'y vais ; j'aime les cartomanciennes, elles disent des choses : Je vous Vois à peine... c'est étrange... Vous ne voulez pas sortir... Votre jeu est blanc... Je ne Vois absolument Rien. Ou c'est Belle-maman qui a un thé, autant ça qu'autre chose n'est-ce pas. Le jeudi c'est Stéphanie, elle veut aller voir un Mickey, vite je cours ; mais il n'y a qu'un jeudi par semaine ; et puis Stéphanie, il me semble que je la déçois ; on dirait qu'elle attend quelque chose de moi, qui ne vient pas. Je crois que je l'ennuie un peu. Non, je ne me suis pas resaoulée ; le whisky est amer ; la marque que j'aimais a dû disparaître du marché sans que je sache. Quand j'en bois je m'endors. Il n'est que quatre heures ? Je croyais six, et Philippe allait rentrer, ce soir nous avons un dîner qu'est-ce que je vais mettre ? intéressante méditation, mais il est encore trop tôt. Mettre un disque. Mais lequel. Lequel voyons. La musique, il faut avoir envie. On n'écoute pas la musique comme ça parce qu'on a décidé. Il paraît que ce n'est pas un passe-temps. J'ai essayé ; ce n'est que des sons. A l'école on m'a appris que ce sont des vibrations de l'air, c'est bien vrai.

Je me souviens, quand je mettais six fois de suite cette espèce de Sinfonia de Vivaldi, avec ce disque loupé qui grattait juste en plein milieu. Et la troisième Leçon de Ténèbres. Et cette crise d'Affiche Rouge ! sans arrêt on la remettait. C'est drôle la musique. Ça prend par rages. Dans ce temps-là je bousillais un disque en une semaine. Où sont les rages d'antan. Ici les disques on les soigne. Ils sont dans un meuble enfermés. A cause de la poussière. C'est vrai que la poussière c'est mauvais pour les disques, et les choses sont faites pour se conserver pas pour s'user. Mais allez donc chercher des disques dans une armoire ! Il faut l'ouvrir, etc. Les disques, ça doit être à la main. Où sont-ils, mes vieux ? Classés, dans les autres. Il faudrait que je les mette à part, pour pouvoir les retrouver tout de suite. Mais les rages, où les retrouver ? Non, il n'y a rien qui me dise, dans tout ça ; il y a pourtant tout. Collection Archiv œuvres complètes de. Rien que de voir le nom de Beethoven ça me tue ; et dans cette sacrée baraque il y a des tas de microsillons avec plusieurs auteurs sur le même ; et ça, ça me met dans une telle rogne que je les casserais si c'était pas incassable cette saloperie. On arrive juste à les tordre. Naturellement c'est les disques à Philippe, avec plusieurs auteurs. Et pourquoi les fabricants se priveraient-ils de coller plusieurs auteurs puisqu'il y a des rustres qui les achètent. On ne peut pas leur demander d'être des saints aux fabricants non plus. Calme-toi ma petite, tu vas avoir mal à la tête ce soir. Chaque fois que je prends une rogne j'ai mal à la tête le soir, le médecin m'avait bien prévenue que ça en arriverait là. J'ai des pilules à prendre, calmantes ; et des remontantes, pour que les calmantes ne me calment pas trop. Plus quelques machins pour que les susdites ne me fatiguent pas le foie. Il paraît que maintenant j'ai un foie. Comme Philippe. C'est le médecin qui l'a découvert. Philippe a triomphé : il en était sûr, malgré mes dénégations. Avec la vie que j'ai menée dans ma jeunesse. Maintenant j'ai une vie normale. On me soigne pour cela.

Et est-ce que je suis heureuse, comme ça ? Philippe ne m'a pas reposé la question.

Et maintenant qu'est-ce qu'on fait ? On est heureux, je ne vois rien d'autre à faire. On est heureux et voilà. Et voilà. Et voilà. Et voilà... On a tout ce qu'il faut. D'abord je l'ai, Lui. Même, j'ai un vison. Et pas une étole s'il vous plaît, le manteau, carrément. Soyons juste, ça me va. Les autres ne s'y sont pas trompées, je l'ai vu sur leur figure, et à la suite il y a eu une offensive terrible dans les Ménages.

Anniversaire de mariage. Noces de Fourrures, les fabricants devraient lancer ça je suis sûre que ce serait une affaire, je vais breveter l'idée. Ils ont déjà le Père Noël obligatoire, les Mères, les Pères, mais il y a encore de la place. Maintenant, selon Julia, je dois avoir mes perles. Noces de Perles.

Aussi j'ai été si sage, si sage. Je l'ai bien mérité. Je n'ai pas regardé un seul homme depuis que je suis mariée, enfin depuis ce type à cheval ; qui peut en dire autant ? Pas un homme. Jamais un geste déplacé, un regard en face ; toujours de biais. Je suis comme un pot. Les hommes, je n'y songe tout simplement pas. Sortis de l'idée. Sais plus ce que c'est. Même compte tenu de l'absence sur le marché de produits de qualité suffisante, car tout de même, d'autres font avec, et je suis sûre que dans le fond j'aurais pu en voir, au moins un ou deux, au besoin dans la rue, dans d'autres quartiers, si j'avais bien cherché. Je n'ai pas cherché. J'ai pas envie. Je m'en fous. Rien ne bouge là-dedans, aucun transport ne se déclare, aucune élévation de température, rien. Je ne comprends même plus les histoires cochonnes que ces messieurs se racontent à la veillée ; il est vrai que je fais jamais attention à ce qu'ils disent, mais au son de la voix (plus grasse, bien que toujours sans substance) je reconnais bien que ce sont des histoires cochonnes. Et tout ce que j'en ai à dire c'est qu'ils ne devraient pas, eux par ailleurs si à cheval sur la morale, se laisser aller ainsi devant les dames, qui sont de faibles créatures et que ça pourrait tenter. Pas moi bien sûr. Moi je n'ai rien entre les jambes. Disparu, envolé petit oiseau, bye bye. Peut-être que je suis comblée ?

L'autre jour j'ai vu un couple dans le métro, qui s'embrassait. A pleine bouche. On voyait tout. J'ai même trouvé qu'on voyait trop, j'étais choquée. Je me suis dit : mais pourquoi font-ils ça, qu'est-ce qu'ils y trouvent ? J'avais beau m'acharner à me souvenir que moi, moi-même, ici présente dans ce métro, je l'avais fait jadis, sans doute possible, et tout aussi impudiquement et avec ardeur et indifférence au monde, je ne sais plus avec qui mais je l'avais fait, et cette incompréhension, de ma part, était tout à fait étrange, je n'avais pas le droit — rien à faire, je n'arrivais pas à imaginer ce qu'on peut y trouver. J'ai honte de le dire, ça me paraissait juste répugnant, ces bouches qui se mélangent. Je me suis dit que ça devait être l'âge, me voilà bientôt sur la trentaine, et qu'il faudrait veiller à ne pas tout de même tourner rombière, tâcher de rester libérale, compréhensive à l'égard de la jeunesse. Vraiment le baiser sur la bouche ça m'avait passé, c'est une chose que je ne comprenais plus. Alors aller désirer un homme ! Ma réputation était clairement établie. La fidèle Madame Aignan, c'est moi. Philippe peut porter haut, il le fait, un front lisse sans encourir à nos yeux à toutes le ridicule de Jean-Marc ou d'Hervé, ou même de Jean-Pierre, que Julia a trompé une fois pour le principe. Moi, je n'ai même pas de principe. J'ai juste rien. Ceux qui ont manqué d'intuition au point de s'y essayer m'ont simplement fourni une belle occasion de me payer leur tête, sur le thème Vous ne vous êtes pas regardé, qui me tenait depuis longtemps à cœur. Ils sont merveilleux. Et d'un tact ! Et modestes ! Ils disent : « une » femme ne peut pas rester fidèle allons ; vous n'êtes pas de bois tout de même, alors ? « une » femme ne peut pas résister toujours. Alors moi : ça dépend à quoi. A un homme, peut-être pas ; mais vous ! Voyons, « Vous ne vous êtes pas regardé ! » Vous croyez qu'on peut penser au sexe en vous regardant ? On pense à des factures, quand on vous regarde, cher ami. J'ai même conduit Jean-Pierre, qui s'excitait (Pourquoi ? Je n'ai rien d'excitant et je sais ce que c'est. Avaient-ils entre eux parié que le fier Philippe qui probablement finissait par leur casser les pieds au cours de ces conversations qu'ils ont, avec sa belle sécurité conjugale et moi les femmes je sais comment faire etc... « le » serait tout comme eux ?) j'ai conduit Jean-Pierre devant une glace en pied et je lui ai passé la revue de détail. Comme en plus j'étais au courant de certains qui ne se voyaient pas dans la glace (nos conversations à nous sont plutôt d'ordre scientifique, on ne fait pas dans le lyrisme) j'ai fait de déplaisantes allusions, sous une forme interrogative qui ne puisse trahir mes sources. Après ça plus de bonhomme comme bien on pense ; j'ai toujours été au moins aussi forte sur la débandade que sur son inverse. Ayant tiré de lui l'aveu qu'il s'agissait bien d'un pari, je lui ai précisé que si je ne trompais pas Philippe c'est qu'il n'y avait pas de quoi. Que chacun connaisse sa place. En tout cas ça m'a fait beaucoup plus jouir que si j'avais dit oui. Quant à Hervé comme c'est une nave je lui ai sans discuter filé un rancart immédiat dans un bar de la Madeleine à deux pas des maisons de passe où il se voyait déjà, triomphant, pénétrer, et j'y ai expédié Philippe aux fins de l'éclairer sur la loyauté de son bon ami Benoît. Ils se sont brouillés et j'ai été débarrassée du même coup de Loula, j'en avais marre de ses téléphones de deux heures, de ses masseurs et de ses trois lardons. Il ne faut jamais perdre une occasion de se marrer y en a pas tellement.

Pour Jean-Pierre, je n'ai rien vendu. Pas qu'il soit pas chiant mais j'aime bien Julia. A elle j'ai tout raconté bien sûr, on a l'habitude de traiter ces questions entre nous. Des heures on passe à causer bonshommes, et pas sous l'angle du sentiment ; ni de la cochonnerie. Analyse de comportement disons, précise et scientifique. J'ai l'intention du reste d'écrire un Traité. J'entrepris jadis des études d'Ethnologie. Elles m'ont un peu déçue. Le programme présente des lacunes. Il se propose d'examiner les mœurs des peuplades sauvages mais il en est une dont il n'est point fait mention : la Race dite Blanche dite Civilisée. Dite « développée » ; ahah. Je pense que je vais m'y consacrer. Je serai le Malinovsky du Monde Occidental. Une science pas encore défrichée, et qui en a besoin. Car enfin il n'y a point d'équité à ce que le monde entier ait le droit de savoir, rien qu'en ouvrant un livre, comment les braves Mélanésiens font l'amour, alors que le procédé du Blanc Occidental n'est connu que par les Mémoires de Casanova et des vantardises d'après boire ; lesquelles du reste ne concernent que la quantité, phénomène sans aucun intérêt, et laissent de côté l'aspect qualitatif, dont la notion même semble ignorée par ici. Après tout je suis compétente, j'ai vu des spécimens de près, et *in vivo*. Entre Julia et moi, on totalise une somme d'observations déjà appréciable, au moins égale aux moyennes sur quoi se fondent les experts. Au besoin nous y adjoindrons des enquêtes sérieuses, pour lesquelles nous sommes armées de tests de véracité. Je prends des notes. On s'amuse. Avec Julia, je revis un peu. Un jour, j'ai même ressuscité. Il faisait chaud on venait de prendre une douche, tranquilles chez elle personne. On a eu envie de se faire plaisir. On l'a fait. Comme ça, simplement. Juste pour le plaisir.

N'est-ce pas plus gentil que tout seul ? Et puis tellement mieux.

Bon dieu. J'avais complètement oublié.

★

Je me suis regardée dans la glace. Je me suis reconnue immédiatement. C'est moi, celle-là. Moi ! Moi ! Où j'étais donc passée ? Où j'étais disparue ? Qui c'est cette autre qui erre dans les corridors de l'appartement là-bas rue de la Pompe ?

C'est Madame Philippe Aignan.

ON est partis en vacances la semaine suivante, chaque « ménage » de son côté. Heureusement en un sens : on y prenait goût. Ce n'étaient que courses ensemble dans les magasins, robes à rectifier, rangement soi-disant, forcément à l'approche des vacances c'est bien connu il y a un tas de préparatifs, du travail par-dessus la tête. Une activité débordante régnait dans les deux ménages, les époux en étaient attendris. Et dans quelle belle humeur étaient les épouses le soir ! C'est qu'en plus, on la trouvait bien bonne. « J'ai passé l'après-midi avec Julia » – et ce n'est pas un alibi !

Je pars, pleine de feu et d'entrain. Un peu de manque mais je me sens vivre. Je chante. Depuis quand je n'ai pas chanté. Philippe me regarde, surpris : il ne m'a jamais entendue, il paraît que j'ai une voix. Il fait beau. Philippe aussi est content, pour d'autres raisons, il a touché sa nouvelle 508 over roof tant attendue depuis le

Salon, tous les avantages d'une voiture de sport sans les inconvénients, quatre places sièges transformables on peut dormir dedans pas besoin de remorque (dieu soit loué) arrosage automatique quatre tiroirs air conditionné respiration artificielle boîte à gants à musique sortie de secours ascenseur est-ce que je sais plein de nickels et en plus elle roule. La joie de Philippe se double de ce que Jean-Pierre, lui, n'a pas encore sa Victory grand sport 220 km mille chevaux au frein qu'on me pardonne si je me trompe il nous a tant bassinés avec j'ai des circonstances atténuantes. En attendant, Philippe dans la sienne c'est un Prince de la Route. C'est qu'il n'y en a pas beaucoup qui l'ont encore celle-là, on en a croisé une en cinq cents bornes il a fait un peu la gueule. Prise d'audace, ou peut-être contaminée à force de l'entendre louanger depuis le départ sans arrêt, on n'est pas de bois, je lui demande de me la laisser essayer.

Il y a longtemps que je n'ai émis pareille prétention. Depuis qu'avec l'autre une fois j'ai fait grincer les vitesses, je sortais de l'anglaise de Thomas où elles sont dans l'autre sens. Après je n'avais plus osé recommencer, il avait tellement souffert le pauvre chéri. Mais aujourd'hui je suis de bonne humeur.

– Non. Tu vas me l'esquinter. Une voiture neuve.

Deuxième reprise :

– Elle est en rodage.

Il ment, il l'a rodée à toute pompe sur l'autoroute avant de partir.

– Quinze cents, quoi, ça lui suffit.
– Pas une voiture comme ça.
– Mais je sais roder, ce n'est pas sorcier.
– Il faut sentir le moteur. Tu n'as pas l'habitude.
– C'est pas comme ça que je la prendrai.
– Je ne tiens pas à ce que tu la prennes sur la mienne. Merci bien.
Quinze cents. Dix-sept cents. Elle est de plus en plus rodée.
– Alors, paye m'en une.
– Je croyais que tu méprisais les voitures ?
Il confond avec les hommes qui en parlent. Exprès bien sûr il confond. Dix-huit cents. Il gratte, il gratte.
– J'irai pas vite.
– Pour nous faire perdre du temps ?
– Mais on en a !
– Ce n'est pas une raison.
Deux mille. Si encore c'était une usine nucléaire, je comprendrais qu'il ne veuille pas que j'y touche. Mais une simple bagnole. En mettant les choses au pire ça se répare.
– Tu dis tellement qu'elle est solide : elle va me résister.
– Qu'est-ce que tu as Céline en ce moment ? Jamais je ne t'ai vue capricieuse comme ça !
– Capricieuse, pour une fois que j'ai envie de quelque chose. Ça n'arrive pas tellement souvent.
Deux mille cent, deux cents, deux cinquante.
– Laisse-moi conduire, Philippe.
– Tu es têtue.

– Têtue, elle est bonne : j'ai envie de conduire et je ne le fais pas, comment voudrais-tu que ça me passe ! Je te préviens, ça ne va pas me passer.

– Hhha ! Là là !

Il semble un peu à bout d'arguments. Je me mets à grogner.

– Avant je conduisais. J'ai pas conduit depuis mon mariage. Je finirai par ne plus savoir. C'est tout de même idiot.

– Mais tu as emporté ton permis ?

– Bien sûr.

– Ah, tu l'as pris.

Il est franchement déçu.

– Des fois que tu te serais cassé quelque chose. On ne sait jamais, hein ? Ça peut arriver, non ? Ça t'aurait bien arrangé, là. D'abord j'ai l'habitude de conduire la nuit je vois très bien et toi tu n'aimes pas ça. Suppose qu'on soit obligés de conduire la nuit ? Si tu es fatigué ? Ou si tu es malade. Ou si...

Il cède. Il n'en peut plus. Il voit qu'il va m'avoir comme ça tout le voyage. Et il m'aurait eue, j'étais décidée à l'emmerder. J'en ai marre à la fin. Y a pas de raison. C'est à moi aussi la voiture, on est mariés (pardon, on est mariés sous le régime de la séparation rien n'est à moi, tiens j'y avais pas pensé à ce petit coup ça va chercher loin leurs trucs... Mais y a pas de raison tout de même).

– On va voir ce que tu sais faire ! dit-il, en me laissant la place avec un regret cuisant et des airs de me faire passer le permis. Le diable l'emporte. Je me lance. Ah, c'est agréable. Il fait beau. J'aimais bien conduire. J'avais oublié ça aussi.

– Han !

C'est lui, à côté. Il est assis tout raide, crispé, la main droite agrippée à la portière, la gauche prête à voler sur le volant. Je le sens.

– Tu vas trop vite – Attention – Regarde à ta gauche.

– Quoi ?

– Ce type qui va te doubler.

– Je le vois bien. Qu'il double.

– Alors n'accélère pas !

– Je n'accélère pas.

– Si, tu accélères. Céline, tu ne vas pas droit. Regarde devant toi – Mais ne regarde pas ton capot !

– Je ne regarde pas le capot.

– Si, tu regardes le capot ! – Troisième. Troisième je te dis, passe en Troisième ! – Mais roule donc à droite tu es au milieu de la chaussée ! Oh ! Oh ! Oh non, Céline, ce cycliste ! Tu lui as rasé les fesses !

– Quel cycliste ?

Ça c'est histoire de le rassurer un peu. Ce qu'il m'emmerde ! Non mais ce qu'il m'emmerde !

– Mon Dieu !... – Céline. Tu vas nous tuer. Céline tu vas nous tuer ! Le camion ! Le camion Céline ! Oh ! Céline arrête ! Arrête je ne peux plus ! Arrête. Mais pas là ! On ne s'arrête pas au milieu de la route ! Va plus loin mais au pas je t'en prie, au pas. Mets ta flèche. Passe en seconde. En seconde.

Où elle est la seconde ? Merde, je ne sais plus rien. Merde merde merde merde !

– Là. Monte maintenant. Mais fais attention, pas dans l'herbe. Là. Le frein. Ouf.

Il s'effondre, il est blême ; il tremble.

– Sors, dépêche-toi.

Je sors. Je ne sais pas si je vais remonter. Vraiment j'hésite.

– Eh bien, qu'est-ce que tu attends ? Monte ! Qu'est-ce que tu attends ?

Que faire au milieu d'une route ? Et puis reprendre la valise, et après qu'est-ce que je fous avec une valise, pour le stop. J'ai horreur d'avoir les mains encombrées. Et puis j'ai envie d'aller au soleil. A tant que de faire du stop, en voilà un là qui me dit de monter et la valise est déjà chargée. Je monte ; pour raisons pratiques. Mollement. Il démarre en flèche. Ça y est, il la tient, il l'a eue, il l'a récupérée, il est content. Rassuré. Je l'entends qui pousse un grand soupir.

– Ma pauvre fille, tu n'es pas douée.

– Ça va n'en remets pas c'est pas la peine c'est fait.

– Qu'est-ce qui est fait ?

– Ce que tu voulais.

– Et qu'est-ce que je voulais d'après toi ?

– Me scier.

– Ah ah ! Comme s'il y avait quelque chose à scier ! Ah ah !

– Je t'ai dit que ça va. Garde ton jouet. Tâche seulement de ne pas me tuer je tiens à ma peau. C'est tout ce que je te demande.

Parce qu'entre nous, je ne te l'ai jamais dit mais comme chauffeur j'en ai vu de meilleurs que toi.

– Ah ah. Le coup de pied de l'âne.

– Regarde donc devant toi.

Je pourrais lui faire aussi le coup, mais ça m'emmerde vraiment trop. Et comme j'ai dit je tiens à ma peau et ce genre de plaisanterie est fatal. On ne peut pas conduire avec son mari à côté c'est une règle absolue. D'ailleurs la loi devrait l'interdire ; c'est dangereux. Avec un type qui chie dans son froc à côté même Fangio se foutrait dans les arbres.

Quel con. Il n'y a personne qui vous méprise autant, qui vous fasse aussi peu confiance, qu'un mari. Celui-là s'y est repris à deux fois avec moi mais il a fini par m'avoir, j'oserai plus toucher à un volant. Ces zigzags que je faisais à la fin, et je ne savais plus où étaient les pédales, c'était horrible à voir. Un danger public. Et dire que j'étais spécialiste de la conduite de nuit et des dix heures d'affilée. Lui Philippe il est mort à six, faut s'arrêter. Qu'est-ce que j'en ai trimbalé des copains endormis, ou bourrés, sur les routes de la Côte, à l'heure du Berger ! J'aimais ça, quand ils dormaient tous là-dedans, que j'étais seule éveillée, roulant, sous les étoiles. Ah là là ce que j'aimais ça ! D'abord c'est à ça que c'est bon les voitures. A s'amuser, en bande ; à faire des virées. Bouffer de l'autoroute comme ça, ce n'est qu'une triste corvée, moi quand je l'ai fait pour des copains je l'ai toujours vu comme un service, échangé contre le prix du voyage. S'ils avaient un gramme de bon sens ils se rendraient compte que c'est un boulot, et ils se feraient payer pour. Ça devrait être confié à des professionnels appointés, comme les locomotives. Au moins avec les mécaniciens des locomotives on est tranquilles : ces gens-là sont hautement qualifiés, et ils savent qu'ils ont une responsabilité. Tandis qu'un privé ! Responsabilité vous pensez. Ils en sont loin. Regardez-moi ça : Monsieur est à son volant, voyant rien du pays, et tout fier parce que son compteur marque cent cinquante comme s'il en avait le mérite alors que la machine est construite spécialement pour et que lui il a qu'à appuyer son pied. C'est insensé d'en être là, un type qui aurait perdu à ce point-là le sens du réel dans n'importe quel autre domaine on le foutrait en cabane ; délire de puissance sur deux centimètres, masturbation avec la plante d'un pied, il en faut moins pour la camisole. Et ma vie est entre les mains de ce maniaque, faut que je sois dingue moi aussi quand on y réfléchit.

Enfin, tandis qu'il se besogne on approche du soleil, et avec un peu de veine on y arrivera. Je me carre dans mon coin. Je m'occupe du paysage puisque j'ai le temps de m'en occuper ; enfin de ce qui se laisse voir. De temps en temps je pousse un petit cri d'effroi, ou je m'agrippe, pour le principe de ne pas le laisser jouir tout à fait tranquillement. Je rêvasse. Je nourris des pensées lascives, à propos des événements récents. Que mon chauffeur turbine pendant ce temps-là.

Je veux du soleil. Du soleil du soleil. Complètement abrutie, assommée de soleil comme une bête sans aucune pensée je traverserai ces vacances. Sur le bateau je me fous à poil, soi-disant pour ne pas avoir de marques, je me noie dans le soleil. Puisque Philippe me paye du soleil, je veux en profiter, j'en veux jusque-là. J'en veux partout. J'en voudrais même dedans si c'était possible. Une vraie idylle, il devrait être jaloux. Une rage élémentaire, physique, monstrueuse, de soleil. Je dois avoir une maladie, que le soleil guérirait. Le soir quand il est couché je veux danser. J'ai déjà loupé deux danses nouvelles depuis mon mariage, et il y en a une troisième qui commence. Justement elles sont ravissantes. Il faut que je m'y remette. Louper des danses, c'est vieillir. Perdre le mouvement des choses, s'arrêter, sortir du temps : vieillir.

– Je me sens ridicule à me trémousser comme ça, dit Philippe.

Mais non voyons, le tout est de s'y mettre. J'insiste, j'essaye de le maintenir sur la piste, où, devenu lourd, il piétine comme un ours en face de moi.

– Et toi aussi du reste, tu es ridicule. Nous sommes ridicules.

Vieux couple. Vieux ménage. Maintenant assis à notre table, sages, regardant la jeunesse qui s'en donne comme il convient à son âge. Trente.

Trente. Ça sonne comme un glas. Trente. Il a peut-être raison, il ne faut pas s'acharner à rester dans le train au-delà de son temps, c'est « ridicule ». J'en pleurerais. Je vois les autres qui sautent là-bas. Ce qu'ils s'amusent ! Ce qu'ils sont contents ! je suis malade d'envie. Je ne veux pas vieillir ! Je ne veux pas vieillir, moi !

C'est de l'hystérie ma fille, dicte sévèrement une voix intérieure qui aurait le timbre de la mienne et le ton de Philippe. C'est simplement de l'hystérie. Tu t'accroches ma pauvre. Regarde ces petits hier, qui jouaient au volley, comme tu t'es ruée sur eux qui manquaient d'un partenaire ; ça c'est un signe : le goût pour la jeunesse. Ne t'impose pas comme ça, dit Philippe. Mais ils m'ont appelée ! Je les ai fait rire tout le temps ! Evidemment si tu fais le pitre pour les attirer. Tu vas encore avec ton jardin d'enfants ? dit Philippe. Bon, il y a le soleil. Le soleil est à tout le monde, même à moi. Philippe barre, et me signale les bateaux qui approchent, dès cinq cents mètres : Couvre-toi. Finalement j'ai attrapé une insolation, quand je croyais que je ne risquais plus rien. Voilà, tu veux toujours trop en faire. Tu ne sais pas te limiter.

C'est drôle, comme il est mauvais, tout d'un coup ? Voilà une éternité que je me « limitais », on dirait qu'il ne s'en est pas aperçu. Et à peine ai-je sorti un peu la tête de l'eau, il saute dessus à pieds joints. Il est rapide, Philippe. Quant à se limiter, lui il sait. Il se soigne ce petit. Il fait attention. Je l'aurais cru plus solide. C'est même ce qui m'en a tant imposé, cette impression de solidité qu'il donne ; un chêne, je disais, il ressemble à un chêne. Ces grands blonds bien bâtis, à les voir on croit que c'est du roc et en réalité c'est fragile comme des fillettes. Ça ne tient pas l'effort ; si ça n'a pas son sommeil c'est sur les genoux toute la journée ; ça n'entre pas dans l'eau un peu fraîche, ça ne fait pas la réaction en sortant ; ça fume trop ça a mal à la tête, ça mange du ragoût c'est patraque le lendemain ; ça s'enrhume en sortant du bal. A 38° ça se croit à la mort. Et ça ne sait jamais dire où ça a mal. Ça se balade avec des petites pilules dans les poches. Entre parenthèses, j'ai laissé les miennes à Paris et depuis je dors comme un loir. Son coup de soleil lui il l'a eu le premier jour. Il a assez gémi ; il sait ce que c'est ; il me soigne, il m'apporte des aspirines, me graisse le dos et fait monter le dîner dans la chambre ; il est tout gentil. Demain on ira à l'ombre. On fera une grande journée de repos. Les vacances ne sont pas faites pour s'agiter jusqu'à épuisement, elles sont faites pour revenir en forme à Paris afin d'avoir un bon hiver sans grippe et sans bronchite. Et des bons souvenirs, filmés en 9 mm, pour se les projeter quand on sera vieux.

★

Tout le monde me trouve belle. J'ai minci, je peux rentrer dans mes pantalons d'avant, je suis abricot, mes cheveux sont presque blancs ; je les ai fait couper bien ras, c'est tellement plus pratique pour la mer ai-je dit à Philippe quand j'ai commis la chose juste avant de partir comme ça à la dernière minute passez muscade, et maintenant ils ne peuvent pas repousser du jour au lendemain n'est-ce pas. D'autant que je rogne tous les jours un peu, en douce, devant la glace où je me regarde à nouveau avec sympathie. Non, il n'est pas vrai de dire qu'il faut se haïr soi-même ; il n'est pas vrai. Il faut s'aimer un peu. Il faut s'aimer un peu. A la base. Après on peut voir, pour les questions de transcendance. S'il y a lieu. N'en étant pas encore là, je me permets de me faire des petits signes d'amitié quand je me rencontre dans les glaces des corridors. Qui c'est ce diablotin blond là-bas qui se marre ? C'est moi, Céline Rodes. Et où est Madame Philippe Aignan ?

Madame est sortie. A cinq heures. Elle est sortie, à cinq heures, elle est allée chez Madame Jean-Pierre Bigeon (Julia Morelli). Mais le téléphone, là-bas, est aux Abonnés Absents. Les abonnés sont absents ; les Abonnées sont Absentes, elles sont sans doute parties faire des courses en ville, et en effet elles rentreront avec des tas de paquets. Mais entre-temps, mais entre-temps. C'est si simple, si simple.

– Qu'est-ce que tu as Céline ces temps-ci ?
– Moi ? Je vais très bien.
– Tu es nerveuse, agitée. Je te trouve bizarre.

Quelque chose ne lui plaît pas, à Philippe. Je ne suis évidemment ni nerveuse ni agitée, ça c'est son art de détourner les mots vers en bas. Je suis simplement de bonne humeur. Peut-être c'est ça qui ne lui plaît pas ? Non qu'il soupçonne du côté de Julia, non là au contraire il est content que j'aie une amie mariée avec qui j'aie des problèmes communs, ils se réjouissent Jean-Pierre et lui de notre charmant babillage et il faut dire qu'à force de nous exercer notre numéro de perruches est maintenant très au point, on leur passe des vrais festivals de connerie féminine telle qu'ils l'attendent, pourquoi les contrarier puisque rien ne les convaincra ? Deux vraies conasses. On récite France-Femme, soins de beauté recettes de cuisine produits d'entretien Horoscope. Comme ça ils sentent qu'ils ont des femmes. Chiantes, mais tout est à sa place et eux sont en paix.

Non ce qui ne plaît pas à Philippe c'est autre chose. Céline Rodes, je crois. Il a fait une offensive à propos des cheveux, selon lui ils ne repoussent pas vite, on dirait qu'ils sont bouffés aux rats ; il s'est heurté à un mur cette fois-ci, un mur très doux du reste, un mur de velours, j'ai dit : Tu crois ? ah bien c'est l'eau de mer ça s'arrangera, qu'est-ce qu'on fait ce soir moi je voudrais voir un western. Toi et tes westerns c'est une vraie manie. Manie il en a de bonnes : j'en parle peut-être souvent mais on n'y va jamais en fin de compte, c'est pas comme ça que ça peut me passer. Merde j'irai toute seule l'après-midi. Je ne sais pas pourquoi je n'y ai jamais pensé avant. Quoi cinéma six cents francs ? a dit Philippe en regardant les comptes du mois, que je sers toujours en vieux francs ce qui l'agace, je peux pas me mettre les autres dans la tête ça ne me parle pas, lui qui compte ses budgets investissements par millions qui sont des centaines de millions en réalité il s'y est fait plus vite, pour eux c'est pratique, mais nous avec nos petites sommes on ne réalise pas – quoi cinéma six cents francs, et il y en avait plusieurs dans le mois, tu vas au cinéma ? Eh oui, je vais au cinéma. Qu'est-ce qu'il peut dire ? C'est pas pour les six cents vieilles balles jamais il ne ferait une réflexion pour une misère pareille il n'en est pas là. Et sur quoi en ferait-il, une réflexion ? Il n'y a pas de mal à aller au cinéma, du moment que les chaussettes sont prêtes. Il ne trouve rien. Il se tait. Il a attendu longtemps mais finalement c'est venu ; il a trouvé un truc qui n'était pas fait, un désordre affreux je dois dire sur le secrétaire aux papiers maison, du reste je les ai foutus là parce que j'ai récupéré la table à écrire du living pour moi, j'en avais besoin, il n'arrivait pas à mettre la main sur l'Assurance Incendie, pas qu'il y ait le feu mais il voulait savoir le montant de la prime et dieu sait quoi d'aussi essentiel et urgent. Il s'est énervé. « Au lieu d'aller au cinéma !... » C'est donc sorti enfin. J'ai reconnu ma carence, et je lui ai demandé s'il en avait par hasard noté d'autres. Il n'a pas trouvé, sur l'instant.

– Eh bien à mon avis, c'est extrêmement peu. Je pense que je puis me considérer une épouse à peu près parfaite.

Ça l'a désarçonné. Surtout le ton. Pas un brin de nerfs. J'étais en train de préparer une tapisserie, j'ai continué. Je la peins moi-même ; ça représente Adam et Eve l'Arbre le Serpent la Pomme. Tout en hauteur. Très joli. Enfin ce serait très joli si je la menais à bien ; ce qui est peu probable ; Philippe lui-même du reste l'a prophétisé ; l'idée de faire de la tapisserie lui a beaucoup plu, mais il a bien peur que je ne la mène pas au bout, comme les mille autres choses que j'ai entreprises dans ma vie et dont je n'ai jamais fini une seule.

– Quant à ce manque d'ordre dans les papiers, dis-je, qui seul me sépare de la perfection, pause, je passe le brun de l'Arbre, je pense qu'il est sans remède. Je ne peux pas. C'est trop chiant.

– Trop quoi ?

– Chiant.

Il reste sans voix. Il y a longtemps que je ne lui ai pas fait ça. Je m'exprime à présent en termes précieux. Encore dans mon époque révolutionnaire me dégonflais-je toujours à la seconde interpellation.

– Je crois dis-je profitant de sa stupeur que si tu veux que ce soit fait comme tu l'entends le mieux sera de t'en occuper toi-même.

– Quoi ? Mais j'ai assez de choses assommantes sur le dos comme ça, moi ! Il me semble que tu peux en faire une petite qui t'ennuie ! Puisque tu trouves le temps d'aller au cinéma... (*bis,* car je n'ai pas paru comprendre la première fois).

– J'en ai également pas mal déjà, moi aussi,

qui m'ennuient, dis-je, d'une petite voix calme. L'intendance, c'est un tissu d'ennui.

– L'intendance ?... (il ne comprend pas)

– La tenue d'une maison. Intendance, ça s'appelle. C'est un travail.

– Mais enfin pour une femme... c'est tout naturel... s'occuper de sa maison.

– Passons. Mais l'ordre administratif par contre c'est un travail d'homme. Ces papiers compliqués sont promus et rédigés par des hommes. Nous n'y entendons rien pour notre part.

– Si tu étais seule il faudrait pourtant bien que tu t'en occupes !

– Autant que je m'en souvienne, je n'avais rien de tout cela. Je ne sais comment je me débrouillais. Bien, sans doute.

Sa bouche s'ouvre. Sa bouche se ferme. Je sais bien ce qu'il est en train de préparer. Mais il ne le sort pas. Terrain glissant. Entre-temps moi j'ajoute, doucereusement :

– Je ne t'avais pas non plus mon chéri.

Je passe le jaune du serpent. Pourquoi je fais ça ? Une crise tout d'un coup. Une passion ravageuse. Choisir des laines. Des couleurs, des harmonies. Les couleurs de ces laines à tapisseries sont à se mettre à genoux devant. J'ai choisi les laines avant d'avoir le dessin peint. Et maniaque avec ça. Celle-ci, pas celle-là. Et puis, vouloir la préparer moi-même, quelqu'un qui n'en a jamais fait, tout le monde m'a dit que c'est de la folie furieuse. Madame Aignan (ravie elle aussi de me voir lancée dans les travaux féminins) m'a conseillé d'acheter un canevas préparé, et même tramé, pour le début. Elle m'a conduite chez le spécialiste où j'ai été conviée à élire un buisson de roses. J'ai demandé une copie de la Licorne. Elle est folle, débuter par là. Il fallait le faire faire, et encore, et à quel prix. Et attendre. Attendre je ne pouvais pas. C'était tout de suite, immédiatement, ça me brûlait. Alors bon je la ferais moi-même. Elle est folle, elle ne se rend pas compte. Ardeur de néophyte a dit le spécialiste, qui n'avait pas tort ; laissons-la, elle en reviendra elle-même ; quand elle aura gâté un ou deux canevas... En effet j'ai un peu peur.

— ... vison.

C'est Philippe qui termine une phrase, ou même peut-être une péroraison, que je n'ai pas entendue heureusement car elle devait en contenir des vertes et des pas mûres.

— Comment ?

— Et tu as même un vison.

— Eh oui, tout se paye, lui ai-je répliqué tranquillement, et de continuer mon serpent. Pas facile. Ce ne sera pas facile. La tapisserie c'est interminable. Il y faut des Croisades pour le moins. Et pas tellement mon style après tout. Ah mais je sais !

Le lendemain j'achetais tout un matériel de peintre. Voilà ce que je voulais en vérité. Que je ne m'avouais pas. Cette tapisserie c'était du transfert pur et simple. Est-ce que je ne peignais pas, avant ? Mal mais la question n'est pas là ; je peignais ; l'avais-je oublié ? Décidément les voies de la Providence sont tortueuses, je veux dire, le chemin pour se retrouver quand on s'est perdu, n'est pas droit. De la tapisserie, c'est assez coquin. Quelque chose de tout de même féminin, mais qui rappelle. Coquin.

Un matériel complet, la note était lourde, sur les comptes. Beaucoup plus que les laines, qui n'étaient déjà pas pour rien. Philippe a tiqué. C'est cher, dit-il.

Vison, une brique. Voiture, deux briques. Peinture, dix-huit mille vieilles balles. C'est cher. Comme quoi tout est relatif.

– Et alors les laines, elles sont perdues ? (six mille).

Je propose immédiatement s'il en est là de décommander mon tailleur d'automne, qui en coûte le triple. De toute façon j'en ai marre des tailleurs ça ne me va pas ça me donne un genre rombière et à quoi ça sert, ou il fait chaud et on sort en robe, ou il fait froid et on met un manteau. J'ai mon vison. Si tu es gêné, dis-je. Mais pas du tout mais non il n'en est tout de même pas là c'est un détail tant pis puisque c'est fait ces peintures même si ça ne sert à rien c'est trop tard n'en parlons plus. Tandis qu'un tailleur j'en ai besoin, il faut que j'aie quelque chose à me mettre pour sortir il y tient.

– Ma femme fait de l'aquarelle, dit-il dans notre petit cercle. C'est son nouveau dada.

C'est de l'huile bien sûr. Mais il n'y a pas de petits gains : aquarelle convient mieux à ce que Philippe veut dire.

– Le mois dernier c'était de la tapisserie. Ça n'a pas duré.

★

La semaine suivante, j'ai demandé un piano. Histoire de rire un peu. Il cherchait un bureau anglais aux Puces. Moi, j'essayais les pianos.

– Qu'est-ce que tu fabriques Céline avec les pianos ?

– Je pense que nous devrions acheter un piano.

– Un piano, mais pour quoi faire ?

– Pour décorer l'appartement. Un appartement sans piano ce n'est pas complet. Ça fera très bien dans le living. Ce living appelle un piano.

– Si c'est pour décorer tu n'as pas besoin de les essayer. Les regarder suffit.

– Mais voyons Philippe ce serait trop bête d'acheter un piano dont on ne puisse pas jouer. Ce serait de l'argent gâché. Il faut qu'il soit bon.

– Mais, tu sais combien ça coûte un bon piano ? Si c'est pour décorer... Enfin Céline tu n'as aucune logique ! Ou c'est pour décorer ou c'est pour jouer...

– Alors j'apprendrai. Comme ça ce ne sera pas perdu.

– A ton âge ? Mais les doigts, à ton âge... Tu sais Céline je crois que tu es vraiment folle.

– Quand j'étais petite je rêvais d'apprendre le piano.

– Je me demande de quoi tu ne rêvais pas, quand tu étais petite.

– Ça c'est bien vrai. Je voulais tout faire. Enfin tout ce qui est intéressant.

– Bon eh bien maintenant tu n'es plus petite. Tu devrais commencer à t'en rendre compte.

– Alors je veux un piano.

– Je ne sais vraiment pas ce que tu as ces temps-ci, ça ne tourne pas rond.

– Moi je trouve que ça n'a jamais été aussi bien.

– Ce n'en est que plus inquiétant.

– Ah oui ? Tu es inquiet quand je vais bien ?

– Quand tu es exaltée comme ça, ce n'est pas bon signe. Est-ce que tu prends tes médicaments en ce moment ?

– Mes abrutissants ? Sont dans les chiottes. Et j'y ai foutu mon foie avec. J'en ai plus. Tu as vu ma mine ? J'ai pas bonne mine ?

– Vraiment je ne sais pas ce que tu as. On dirait que tu cherches à me contrarier.

– Ça te contrarie que j'aie bonne mine ?

– Ne fais pas l'idiote exprès. Tu jettes tes médicaments. Tu as bonne mine parce que nous rentrons de vacances et que tu t'es reposée. Mais si tu ne prends pas les médicaments qu'on t'a ordonnés ce ne sera pas long à retomber.

– Pourquoi être si pessimiste mon chéri ? Il y a peut-être des gens qui se portent bien, naturellement ? Tu ne crois pas que ça existe ? Hein ? Moi en tout cas je ne veux pas être une droguée comme toutes ces bonnes femmes, on n'est pas encore en Amérique ici. Je me porte bien et je vais continuer. Si ça ne te contrarie pas trop. Et je veux un piano.

★

Je peins Julia. Pas toute nue, ça pourrait attirer l'attention. Dans une robe en banlon, d'un beau vert, décolletée en rond, toute droite ; infroissable ; facile à enlever. Et à remettre. D'ailleurs on est peu dérangées. Là-bas au fond de l'appartement dans la chambre à donner qui a enfin trouvé sa vocation, et même une double : atelier d'artiste et boudoir, Juana sait que Madame « travaille » ; elle en voit la preuve le matin, non sans admiration d'ailleurs. Elle ne frappe qu'en cas d'urgence, quand c'est Philippe qui appelle par exemple. Il y a aussi Stéphanie. Elle a pris le pli de nous tomber dessus. Une fois, c'était un peu juste, elle a dit : J'ai l'impression de déranger... Pour que Stéphanie dise ça on devait avoir l'air drôle. Quoi faire alors sinon foncer : Eh oui, tu déranges. Tu as interrompu une conversation qu'on ne peut pas continuer devant toi.

– Pourquoi ?

– Tu es trop petite.

– Merde, j'ai quinze ans ! Sur quoi ? Je peux au moins savoir sur quoi !

– L'amour.

– Les hommes, corrige Julia.

– Alors raison de plus pour y aller, autant que je sache avant de foncer, ça peut m'éviter des pépins.

– Ça t'évitera rien du tout, l'expérience des autres ne sert à rien.

– Autant que tu partes avec des illusions, sinon tu risquerais de ne pas partir du tout.

– C'est si moche que ça ?

– Non. Il y a des bons côtés aussi.

– Lesquels ? Vous voyez bien qu'on peut me dire.

Ça l'intéresse Stéphanie ces deux bonnes femmes qui en savent probablement long et ne l'engueulent pas quand elle l'ouvre trop, au contraire trouvent ça normal, et lui répondent au lieu de l'envoyer paître. Moi je sais ce que c'est qu'une fille de quinze ans ; je l'ai été. Ça peut en supporter. De toute façon la seule question à propos de n'importe qui à n'importe quel âge c'est s'il est idiot ou pas ; si on n'est pas idiot, la majorité c'est vers onze ans. Si on est idiot c'est jamais. Ce point de vue plaît à Stéphanie. Cet endroit, qui sent la térébenthine et peut-être aussi rayonne une espèce de vie, perceptible sinon définissable, l'attire. Elle débarque, elle n'a aucune raison de s'en priver et encore trop de candeur pour en supposer, elle s'assoit pas terre, je peins, on cause, et maintenant elle s'est mise à dessiner. Ces choses-là sont contagieuses. Le climat. Après tout, elle fait bien dans notre petit monde. Stéphanie ne vous dérange pas trop ? dit sa mère. Mais non, elle ne nous dérange pas trop ; elle n'a pas tellement de liberté, elle a son lycée ; elle nous laisse assez de temps. Le temps, il y en a en abondance, l'important c'est de savoir s'en servir. Le temps il suffit de le prendre ; on peut en prendre autant qu'on veut, plus on le prend plus il y en a. Il suffit de savoir vivre. Je crains de devenir plus artiste en cela qu'en peinture. L'art c'est peut-être plus difficile, sauf que lorsqu'ils s'y mettent les gens se donnent beaucoup plus de mal pour l'art, que pour la vie.

– Et pourquoi ? c'est bête de leur part.

– Ils ne prennent pas le temps.

– Pourquoi ?

– Ils ont autre chose à faire.

– Quoi ?

– Tuer le temps.

Ce sont nos petits concetti. Italienne, Julia en a le goût, et je défends de mon mieux les couleurs des Parisiennes. C'est la peinture en somme qui irait le moins. C'est habile mais imprégné, on y retrouve un peu tout le monde. Je n'ai aucune originalité en peinture j'aime trop les peintres. Je peins comme ceux que j'aime moins le génie. D'ailleurs Philippe ne s'y est pas trompé.

– Dommage que Modigliani ait existé avant toi tu aurais pu faire une carrière.

Julia a un long cou alors évidemment.

– Il est vache avec toi.

– Chaque fois que j'essaye de faire quelque chose. Ça l'excite. Contre.

– Pourtant il t'aime. Il te paye des visons. Il te couve.

– Oui. Les nécrophiles aussi, aiment.

– Les quoi ?

– Amateurs de cadavres. Des types qui ne peuvent jouir que des mortes.

– Ne viendrais-tu pas de trouver la définition du Mari ?

Jean-Pierre est moins dur, il est vrai que je ne suis pas sa femme.

– Moi je trouve que c'est assez ressemblant. Elle a attrapé l'expression.

Pas toute, pas toute Monsieur, je n'ai pas assez de talent. Heureusement, vous en seriez tombé pâle. Vous ne l'auriez pas reconnue votre femme Monsieur, votre femme à moitié frigide, Monsieur Petits-Moyens-Grandes-Moyennes comme on vous appelle entre nous (Philippe c'est le Chasse-Rêves), Monsieur Tarzan du Champignon, Buffalo-Bill des Chevaux-Vapeurs, Superman du Carburateur (ils sont rentrés de vacances en chemin de fer cette fois-ci, la tire est en pièces détachées sur l'Olympe, ça fait jamais que la troisième qu'il bousille).

Avec une femme heureusement on ne bousille que les sentiments quand on la prend mal.

– Dans le fond dit Julia, c'est le mariage qui doit rendre lesbienne. Moi je l'étais pas.

– Mais où vois-tu que tu l'es ? C'est pas parce qu'on fait un extra qu'on doit se mettre en catalogue. Dans les harems c'est courant. C'est du luxe, quoi.

– Il me semblait aussi. Mais je commence à me demander. Hier soir rue de Tilsitt, il y avait une brune sur le trottoir, sublime. Avec une frange.

– Oui, je l'ai vue.

— Ah tu vois. Toi aussi.

— Ben quoi. Elle est belle. Et elle est en vitrine. Alors c'est normal qu'on la voie.

— J'ai été jusqu'à me demander ce qu'elle dirait...

— Si c'est pas sa spécialité on risque la paire de baffes, et l'ameutage des copines.

— Peut-être les flics ? Ce serait bien que les Jules soient obligés de venir nous dédouaner au quart, avec le motif.

— Et si ça marchait, pour le rentrer aux comptes ?

— Passe, dix mille.

— Impair ?

— Manque ?

— Peut-être repassage ?

— Médecine ?

— Et le remboursement de la Sécurité ? Pas de vignette.

— Produit de Beauté.

— Ah ça c'est pas mal. Adopté.

— N'empêche, je deviens tout à fait pervertie.

— Prude France ! Et dois-je dire, Prude Italie ! Autrefois Rome ! Voilà où on en est rendus ! Se croire pervertie pour une affaire pareille ! Mais les Grecs ils ne s'embarrassaient pas comme ça, ils allaient au marché aux esclaves et ils s'en ramenaient un ou une, comme ça pour le plaisir en toute simplicité ! En plus du reste. Du luxe, je te dis. Du luxe. Un sens perdu. Pas à la portée de tout le monde bien sûr il n'y avait pas de justice, mais quoi même les capitalistes aujourd'hui ils ne savent plus. Même dans leurs plaisirs ils trouvent le moyen de se faire chier ! Ma pauvre Julia mais t'es juste normale ! T'es seulement con d'écouter la rumeur.

– Ce que tu peux être rassurante.

– ... et d'en faire un plat. De la psychologie. Merde la psychologie. On est pas lesbiennes. On fait du luxe. Point.

– Merci.

– Te absolvo.

– Deo gratias.

– D'abord j'aime pas les femmes. C'est trop doux. J'aime quand ça pique. Quand on sent les os et que c'est ferme par-dessus. Sans parler du reste, à propos de quoi il y a certaines religions que je regrette bien qu'elles soient disparues – faute de leur Objet peut-être ? j'en aurais fort été adepte.

– Moi non plus j'aime pas les femmes. Alors qu'est-ce que j'ai avec toi que les hommes n'ont pas ?

– Des loisirs.

– Pourquoi les hommes n'ont pas des loisirs ?

– On a déjà étudié cette question.

– Mais on l'a pas résolue.

– Non.

– Merde.

– Parce qu'ils travaillent.

– Evident. Pourquoi ils travaillent ?

– Pour gagner de l'argent.

– Pour quoi faire ?
– Pour avoir des loisirs.
– Raté. C'est pas là qu'il fallait arriver.
– Pour que nous, on ait des loisirs.
– Voilà. En réalité, ce sont nos esclaves.
– Et ils ne le savent pas !
– Qu'est-ce qu'on est rusées ! Comme on a bien organisé la Société !
– Pas mal. Mais pas vrai.
– Tu connais l'histoire du Napolitain ? Le Milanais le voit étalé au soleil et lui dit : pourquoi tu travailles pas, tu aurais de l'argent. Et après ? dit le Napolitain. Tu achèterais une maison. Et après ? Tu y mettrais une femme, tu monterais dans l'échelle sociale, tu deviendrais riche. Et après ? Et après dit le Milanais tu pourrais aller en vacances au soleil. Et le Napolitain dit : mais j'y suis déjà au soleil !
– Ouais. Elle est vieille ton histoire. Du XIXe siècle. Tu as vu Naples aujourd'hui ? On y est passé cet été ; j'ai pas voulu y rester. C'est couvert d'usines. Plein de fumée. On voit même plus celle du Vésuve elle est cachée par les autres. Voir Naples et mourir asphyxié. Ils s'y sont mis les Napolitains, maintenant ils sont en plein Développement les malheureux. D'ailleurs y a plus de soleil, avec toute cette fumée. Alors à quoi bon ? et où s'étaler ? Et tu sais pourquoi ? parce qu'on diminue les impôts des industriels qui vont se foutre dans le sud et ils se font un boni. Voilà pourquoi il n'y a plus de soleil à Naples et qu'il y a du travail à la place.
– Je crois que le thème mérite d'être repris en

soirée de gala, il est de nature à énerver le technocrate, réserve-le. Alors on en était à Les hommes ne travaillent pas pour avoir des loisirs.

– Ils travaillent pour autre chose.

– Ils travaillent pour avoir encore plus de travail.

– Pour pouvoir faire chier les autres en leur inventant du travail.

– Mais pourquoi avoir de plus en plus de travail ?

– Pour se faire chier.

– Pourquoi se faire chier ?

– Parce qu'ils n'ont pas une meilleure idée.

– J'y suis : ils travaillent parce qu'ils ne savent pas faire l'amour.

– Et ils ne savent pas faire l'amour parce qu'ils travaillent !

– Je crois qu'on a trouvé.

– Mais c'est sans remède.

« Si ce n'est pas trop vous déranger dans vos importants travaux »...

Ils ont débarqué à la maison dans le milieu de l'après-midi tous les deux. Ils étaient gais comme des pinsons, ils ont fait beaucoup de bruit en rentrant ; un peu bourrés peut-être : ils l'avaient sans doute arrosée avec le vendeur. La Nouvelle. La Merveille. Elle était enfin arrivée. La Victory ! C'est ça qu'ils étaient venus nous annoncer, en effet ça valait la peine. Ils nous ont trouvées, comme des anges, sages, moi maniant les pinceaux, Julia posant, en me faisant la lecture de *La Princesse de Clèves ;* c'est ce qui lui était tombé sous la main. Scène admirable, en vérité celle que j'aurais dû peindre, si j'eusse été hors du tableau : à la manière hollandaise, puisque je ne fais qu'à la manière de, avec dans un coin de la toile les deux Jules, hilares, venant nous annoncer l'arrivée de la Belle Bagnole et nous conviant à descendre l'admirer, « si ce n'était pas trop nous déranger dans nos importants travaux ».

Nous on aurait pu attendre. Mais il faut être compréhensif. On a balancé la Princesse et on a suivi. On a regardé. C'était une voiture.

– Vous n'avez pas l'air enthousiastes ?

– C'est une auto, a dit Julia.

– Tu ne trouves pas qu'elle fait un effet bœuf ?

– Tu sais quand on est dedans on ne la voit pas.

Jean-Pierre a regardé sa femme. C'est une idée qui ne lui était pas encore venue. J'ai enchaîné.

– Au fond c'est de l'altruisme d'acheter une voiture à effet ; tout est pour les autres.

– Mais, on en fait partie ! s'est écrié Jean-Pierre atteignant au génie, puis il s'est lancé dans la Description des Caractéristiques, et on s'est mises à regretter la *Princesse de Clèves.* Emmerdant pour emmerdant au moins c'est du beau style.

– Samedi on part. On y va tous vous voulez ?

– Où on ira ? disent les femmes.

– On va faire la course, disent les hommes.

— On veut aller à la mer, disent les femmes.

— Tu verras que j'arriverai avant toi, dit Philippe.

— On veut un endroit avec des rochers, disent les femmes.

— Ah ah ! dit Jean-Pierre. 220 ! Avec la tienne tu les fais jamais c'est un veau.

— On pêchera des crabes.

— Un veau mon cul dit Philippe recourant dans sa fureur à l'argot du Seizième, et de toute façon en rallye il n'y a pas que la vitesse il y a aussi l'adresse.

— On prend les maillots ? L'eau est sûrement encore bonne.

— Alors je crains pas grand-chose. Et avec son démarrage instantané, ses reprises, ses

— De toute façon on se fera arroser par les vagues même si on ne se baigne pas.

— Tu sembles oublier que tu es en rodage.

— As-tu une épuisette ?

— On en achètera une sur place.

— Mon petit mécano tu sais dont je t'ai parlé un type épatant me l'a commencée moi j'ai horreur de roder ça m'énerve, et avec deux heures par jour sur l'autoroute d'ici samedi.

— On pêchera des crevettes.

— Je pourrai déjà la pousser jusqu'à

— Pourvu qu'on tombe sur des marées basses.

— De toute façon elles seront grandes, l'équinoxe vient de passer.

— Eh bien alors moi aussi je peux les faire. Tu verras que j'arriverai avant.

— On n'a pas besoin de faire la course,

essayent de dire les femmes, on n'a qu'à partir plus tôt. La mer, c'est pas loin.

Encore un coup où on fera bien de prendre ses précautions avant. Il ne fera pas bon descendre pisser. Enfin, au bout il y aura la mer, et la mer, c'est la mer, rien ne peut empêcher ça. On est partis à l'aube, le samedi, 30 septembre. Il faisait beau.

★

– Dans le fond on n'est pas tellement pressés, on est partis très tôt – oh tu as vu ? Les pommes ! Elles sont peut-être mûres – Tiens ils font des travaux là-bas – Tu te souviens où est l'embranchement, tu veux que je regarde la carte ?

J'essaye de parler d'un ton calme ; voire enjoué. J'ai les foies. Décidément j'ai de plus en plus peur en auto avec Philippe. En plus ces deux conards aujourd'hui avec leur sacrée course. Passionnant.

– Oh. Un chat. Tout aplati. Ils l'ont eu ces salauds. J'espère sur le coup.

J'en ai compté quatre depuis le départ.

– Pourvu qu'il n'y en ait pas un qui traverse...

Je prie. Ne traversez pas. Ne traversez pas, nous voilà. A cette vitesse, même s'il essaye, il ne pourra pas. D'ailleurs il s'en fout bien. Ne traversez pas s'il vous plaît.

– Un autre chat.

– Tu sais si c'est pour me contrôler c'est pas la peine. Je vois exactement tout ce que tu vois.

— Alors j'espère que je vois tout.

— Alors ça sert à rien de le dire.

— En effet rien ne sert à rien. Sauf peut-être prier.

Il secoue la tête comme pour se débarrasser d'une mouche. Depuis les vacances, j'ai gardé le pli de l'emmerder dès qu'il dépasse cent trente, et il n'y coupera pas. J'ai la trouille, j'ai la trouille et j'ai la trouille.

— Tiens, un accident. Là sur la gauche tu as vu ?

A cent quarante tout ce qu'on voit c'est de la tôle avec des gens autour. On est déjà loin. Heureusement ce n'est pas une très belle route avec toutes ces betteraves de chaque côté, on peut la louper sans pleurer.

Sur les planches à Deauville, lieu de rendez-vous, Philippe a regardé fièrement sa montre. On était les premiers.

Alors on a attendu.

★

On a eu du mal à les retrouver. Jean-Pierre était à Bichat avec six côtes enfoncées et un trou dans le poumon.

— Et Julia ?

— Elle est morte.

★

Jean-Pierre Bigeon, trente-quatre ans, onze accidents, dont deux avec des blessés, et un mortel : sa femme. La Victory, doublant en côte – je l'ai vue cette côte, on n'apercevait pas l'autre versant ; c'était eux l'accident sur le bord de la route le matin, le métal et les gens, on a reconnu la voiture, en remontant sur Paris, lentement lentement cette fois, les cherchant, la mort dans l'âme – la Victory est entrée de plein fouet dans une 2 CV venant en sens inverse. Compteur bloqué à cent soixante. Dans la 2 CV quatre blessés graves, parmi lesquels une petite fille, colonne vertébrale brisée. Félicitations.

– Pourquoi n'est-il pas mort, lui !

– Voyons mon chéri. Qu'est-ce que ça aurait arrangé ?

– Ça aurait arrangé qu'il ne serait jamais plus remonté dans une voiture, autant de gagné pour les autres comme chances de vie !

– Jean-Pierre n'est pas pire que les autres va.

– C'est bien ce qui est terrible. Il y en a des tas comme lui !

– Il y a en France plus de 175 000 accidents par an Céline, qui font plus de 230 000 blessés et tués. Comment veux-tu qu'ils arrivent toujours à des gens qu'on ne connaît pas ? Evidemment quand ce sont des amis qui sont touchés on est frappé davantage.

Evidemment. Etant donné ce chiffre, on ne saurait espérer passer une vie entière sans que des amis y soient inclus. C'est statistique. Par conséquent il n'y a qu'à dire OK.

– Sur ces 175 000 accidents combien sont causés par des névrosés ou des imbéciles ?

J'aimerais le savoir. Puisqu'on est dans les statistiques en voilà une qui s'imposerait !

Je suis allée à l'hôpital. J'ai attendu qu'il soit un peu remis ; bien réveillé. Qu'il n'y ait personne. Je ne lui ai dit ni Bonjour ni Comment ça va ; je lui ai dit : « Vous avez tué votre femme. » Il s'est effondré dans les sanglots d'usage. Je sais je sais c'est affreux je ne me pardonnerai jamais ce n'est pas la peine de me le dire Céline j'y pense sans arrêt jour et nuit je ne peux pas supporter, etc. : des mots quoi. Ils font les choses et après ils « ne peuvent pas supporter ». Facile.

– Sans parler de la petite fille paralysée, que nous ne connaissons pas.

Il ne le savait pas qu'elle resterait paralysée. On ne lui avait pas encore dit. Pour le ménager. Tu parles. Je lui ai fourni les détails. Je lui avais apporté le journal. Re-sanglots.

– Vous doubliez en côte. Votre compteur marquait cent soixante. Je l'ai vue cette côte : pas de visibilité. Vous n'avez pas appris le Code de la route ?

Il a bredouillé, il était bien question de code dans un moment pareil où toute sa vie, qu'il y avait la place, que la 2 CV ne roulait « pas tout à fait » sur sa droite, et le compteur sûrement faussé dans le choc. Bien question de code mais « dans un moment pareil » on trouve quand même les arguments pour l'assurance, mensonges compris. Et, tout de suite, ils accusent : c'est l'Autre.

– Vous avez eu le temps de noter tout ça et pas celui d'avoir un réflexe ? Mes compliments.

Pourquoi étais-je venue si c'était pour lui dire de telles horreurs, n'était-il pas déjà assez puni, fallait-il encore que même ses amis –

– C'était quoi la voiture devant vous ?

– Maserati.

– Vous vouliez la doubler et vous ne le pouviez pas. Ça vous agaçait, hein ? Mais Monsieur un Jean-Pierre Bigeon ne double pas une Maserati. Un Jean-Pierre Bigeon reste derrière une Maserati. Toujours.

Oh, que je me taise ! Je vous en supplie, laissez-moi en paix avec ma douleur ! – mais qu'est-ce qu'il pouvait faire, il était cloué sur un lit, entouré de bandages, pris dans le plâtre, il était bien forcé de me supporter. C'est la fatalité ! s'écria-t-il.

– Pas la fatalité, la connerie. Vous avez tué votre femme parce que vous êtes un con. Vous ne savez pas conduire une auto. Quand on n'est pas un homme on va à bicyclette. Vous n'avez pas de réflexes. Pas assez de forces pour tenir une machine. Vous êtes un petit type avec une névrose de puissance, comme un tas d'autres cons.

– Vous me haïssez. Je le comprends. Vous souffrez. Mais – Céline – Pourquoi – m'accabler – quand je suis déjà – peut-être je vais mourir –

– Laissez donc la psychologie il s'agit de technique. Ne touchez plus jamais une voiture vous n'avez pas la capacité, là-dessus je suis partie.

– Je viens de voir Jean-Pierre, dit Philippe. Il a eu une violente crise de désespoir hier. Il s'est jeté en bas de son lit.

S'il croit m'émouvoir il se met le doigt dans l'œil. Que Jean-Pierre Bigeon se jette où il veut.

– C'était après ta visite. Dont tu t'es gardée de me faire part du reste. Preuve que tu n'étais pas si fière. Céline pourquoi as-tu fait ça ?

– Par caprice.

– Ne te rebiffe pas Céline. Je comprends ta peine. Je la comprends. Mais ce n'est pas dans la cruauté que tu trouveras ta consolation.

– Ah ah. C'est dans quoi ? La résignation ?

– Plutôt, oui. Je sais bien que ce n'est pas facile, mais...

– Ça va bien quand c'est Dieu qui ôte, ce que tu dis, et encore je voudrais t'y voir ; mais quand c'est Jean-Pierre Bigeon –

– Ce n'est encore pas une raison pour être cruelle. La vengeance...

– Je n'ai pas été cruelle. Tu fais de la psychologie. Je me fous de la psychologie.

– Quoi ? Pas cruelle ? Tu es allée lui dire qu'il a tué sa femme, paralysé une fillette...

– Ben quoi, c'est vrai.

– Alors qu'on faisait tout pour lui cacher la vérité !

– Pourquoi ?

– Mais tu n'as donc pas de cœur ? Il s'en assoit. Pourquoi ? Par pitié, s'il faut te le dire. Tu n'éprouves pas ça, toi, la pitié ?

– C'est un con.

– Oui, je sais, tu le lui as dit aussi. Et alors ça te paraît une raison ?

– Je ne suis pas Jésus-Christ, moi, pour avoir pitié même des cons. Et vous non plus d'ailleurs. C'est pas de la pitié que vous avez c'est de la routine ; et de la solidarité. Moi au moins j'ai pitié des gens qui ne sont pas responsables. J'ai pitié de Julia, des pauvres types dans la 2 CV, et des suivants.

– Et avoir pitié d'eux ça veut dire les venger ?

– Je n'ai rien vengé du tout. Ecoute Philippe, je n'ai rien cherché, ni vengeance, ni consolation, ni rien de personnel si tu peux comprendre ce que ça veut dire. Je suis allée seulement expliquer à Jean-Pierre Bigeon qu'il ne doit plus jamais toucher à une voiture, parce qu'il ne sait pas s'en servir. C'est tout.

– Et ça ne pouvait pas attendre ? Es-tu un monstre ? Tu ne comprends pas toi qu'on ne va pas dire de telles choses à un homme dans son état ? Il ne va pas y toucher demain à une voiture ! Tu pouvais attendre qu'il soit en mesure de supporter !

– En mesure de supporter tu sais ce que ça veut dire avec les cons ? Ça veut dire en mesure de s'en foutre. Un con c'est épais. Avec les cons il faut enfoncer quand c'est mou. Un con ça ne comprend pas ça se marque. C'est pourquoi justement il fallait profiter de son état pour que ça rentre, c'était le moment ou jamais et j'ai sauté dessus.

– Eh bien tu peux être satisfaite ! Son état s'est aggravé depuis ton intervention. Ça a dû rentrer.

– Le ciel t'entende.

– S'il meurt, tu seras une criminelle ! Tu entends ! Une criminelle !

– S'il meurt ce sera de côtes cassées, pas d'être tombé d'un lit. On ne meurt pas de tomber d'un lit.

– Ma pauvre fille tu es complètement amorale. Je préfère penser que le chagrin t'égare. Je ne savais pas que tu aimais Julia à ce point-là je dois dire. Ni même que tu étais capable de sentiments si violents. Tu ne m'en avais pas donné l'impression jusqu'à présent. Je n'ose espérer que tu en aurais fait autant pour moi.

– Ce n'est pas le chagrin c'est la colère. Je l'aurais fait pour n'importe qui.

– Charmant.

– Voyons Philippe, accorde tes violons.

– Quoi ?

– Ou trouve mes sentiments trop forts ou trouve qu'ils ne le sont pas assez mais pas les deux en même temps – oh et puis j'en ai marre de cette discussion stupide. J'ai fait ce que j'ai cru devoir faire et si ce n'est pas bon on verra ça au Jugement Dernier, ce n'est pas à toi de juger.

– J'ai mal entendu ?

– Non, tu as bien entendu.

– Madame joue les justiciers et le reste des humains n'a plus qu'à se taire !...

– Je t'en prie Philippe. Ne mélange pas les petites histoires personnelles et les choses graves. C'est fatigant.

– Tu dis ?

– Je dis merde.

Philippe partit en claquant la porte. Jean-Pierre Bigeon ne mourut pas, il n'y avait jamais songé du reste. Ces bêtes-là ont la peau dure. Et il conduisit d'autres voitures, et peut-être tua d'autres gens, je ne sais pas je ne le revis plus. Philippe me l'épargna, dans le dessein de le ménager lui. Il se tira bien de l'histoire, sa compagnie ayant réussi à prouver que la 2 CV ne roulait pas exactement sur la droite en raclant le talus. La petite fille eut une rente médiocre. Julia, elle, était morte. Heureusement, car son visage était en bouillie quand on la retira des débris de la Victory. Je priai que c'eût été sur le coup, comme le chat.

ON ne devrait pas se permettre de faire un portrait quand on n'a pas de talent. Les gens peuvent mourir. Alors il ne reste que le portrait, et il n'est pas bon. J'ai honte.

J'ai essayé d'en faire d'autres, de mémoire. Je m'acharnais.

– Décidément je ne savais pas que tu aimais Julia à ce point-là, re-disait Philippe, saisi d'une jalousie posthume – lui il ne savait pas que j'essayais de recommencer parce que le portrait était mauvais, et que j'avais honte ; et moi je ne sais pas si j'aimais Julia et à quel point, sauf que je ne pouvais pas supporter, je ne pouvais pas supporter, que quelqu'un, qui était vivant, ne le fût plus ; ni supporter l'image du moment, de la seconde où elle avait vu arriver la voiture sur elle, car elle l'avait vue ; ni que son visage eût été détruit avant même d'aller aux vers. Ces trois choses je ne pouvais en supporter la pensée c'est tout. Est-ce aimer, je ne sais pas. Ce sont des choses.

Ce visage à présent était entre mes seules mains ; et je le manquais. Je réussis un peu mieux la scène *Princesse de Clèves,* telle que je l'avais imaginée ce jour-là, et que je tentai de la reconstituer, avec l'aide de Stéphanie ; Stéphanie ne me quitta guère dans cette période ; je crois qu'elle m'était indispensable. Elle séchait le lycée. Je la faisais poser pour les deux silhouettes, tantôt moi peignant, et tantôt l'autre à jamais absente. Quand elle « était » Julia, elle pleurait. Elle eut du mal à le supporter, mais elle ne voulut pas renoncer, ni céder aux pressions de sa mère qui n'aimait pas du tout cette histoire « morbide », et ne cessait de lui interdire « de me déranger ».

Ça commençait à agacer, ma peinture. Ça durait trop. Qu'elle ne fût pas bonne, je le savais. Je n'avais pas besoin qu'on me le dise.

– Ma femme aussi, peint, dit Philippe, à l'issue d'un dîner, comme la conversation roulait sur cet art. Il lui arrivait parfois, devant certaines personnes, de signaler ce trait pittoresque de notre ménage. Cette fois-là il s'adressait à un Monsieur que nous n'avions encore jamais reçu, et qui employait les importants bénéfices que lui laissaient je ne sais quels trafics immobiliers à constituer une collection. Connaisseur éclairé disait-on. Sollicité aussi par conséquent, et je trouvai Philippe importun. Sa remarque produisit sur le personnage l'effet ordinaire de la catégorie : il refréna poliment une grimace et la transforma en un sourire mondain qui ne me fit pas illusion.

— Je ne peins pas, je barbouille. Ce n'est qu'une distraction d'oisive, sans intérêt artistique.

Je pensais ainsi débarrasser l'amateur d'un inutile souci et la conversation de ma personne. Cependant Philippe je ne sais pourquoi insista. Mais non, elle fait la modeste ; elle peint vraiment — et tout de go il se leva, « Je vais vous montrer vous allez me dire... »

— Philippe, non. S'il te plaît...

Je n'eus pas le temps de le retenir. Je dus me lever aussi, donner le spectacle d'une épouse qui court au train de son mari en exposant un désaccord. Le calme auquel je me contraignis dans cette démarche me retarda de telle sorte que je ne croisai Philippe qu'au retour, et tout près de la porte du living, à laquelle il était déjà parvenu tant son action avait été rapide. Il tenait le premier portrait et le dernier, tous deux également manqués ; la Princesse de Clèves heureusement n'était pas sèche.

— Philippe, je ne veux pas. Ça ne vaut pas la peine... Je t'en prie...

J'étais obligée de parler bas, à cause de la proximité du living, d'où ces gens pouvaient nous entendre.

— Est-ce qu'on sait ? dit Philippe, en m'écartant.

— Non ! Je tentai de me saisir des toiles.

— Voyons, dit Philippe en montrant la porte, ouverte, me faisant comprendre qu'une scène y serait malséante. Il tira les tableaux hors de ma main d'un mouvement brutal, et je vis dans ses yeux une détermination violente, qu'éclairait un sourire ambigu. Cette expression me surprit, et m'indiqua sans doute qu'une lutte serait vaine ; il était décidé. Il entra dans le salon, moi derrière lui l'air ridicule. Le portrait, avec un « N'est-ce pas ? » engageant, fut mis sous le nez du Monsieur, qui y jeta les yeux quelques secondes et se tournant vers l'assemblée, dit :

– Au fait avez-vous vu l'exposition de Valadon ? J'y songe dit-il, en revenant sur mon pauvre ouvrage, parce que c'est une des seules femmes peintres qui ait jamais eu de la patte. Charmant, ajouta-t-il en se dirigeant de mon côté, assez longuement pour que Philippe dût retirer l'objet de sa vue. Le second, en dépit de ce manque d'encouragement, prit sa place. Charmant, dit encore l'amateur, en regardant durant un temps aussi bref, afin que Philippe comprît que c'était assez, cette fois, tout à fait. Philippe fut lent à comprendre à mon avis. J'étais brûlante de honte et paralysée, empêchée par la présence de tous ces gens de faire le moindre geste qui s'accordât à mon état. Alors je vis Stéphanie traverser le salon tout droit, piquer sur Philippe, lui arracher des mains les deux portraits, qu'elle serra contre elle, peinture cachée. « Viens », me dit-elle avec autorité. J'obéis. Nous sortîmes de la pièce, sans que personne eût dit un mot.

Dans l'atelier, je m'effondrai: Je n'avais pas recherché cette humiliation, elle m'avait été jetée à la figure, je la supportais mal. Je savais que mes toiles étaient mauvaises. Je n'avais pas besoin qu'on me le dise, de si haut, et si publiquement.

– Quel cochon ce type ! dit Stéphanie.

– Lequel ?

– Ben le collectionneur !

– Oh lui il faut le comprendre. Partout on lui balance des bonnes femmes dans les pattes il en a marre, il se défend. Seulement là c'est pas moi qui l'ai cherché ! Moi je le sais que ça ne vaut rien ce que je fais ! J'ai pas besoin qu'on me le fasse certifier par expert !

– Céline !... N'aie pas cet air-là !... Viens, on va aller dehors. On va se promener.

– Mais là-bas...

– Là-bas on les emmerde, si tu veux savoir mon avis. Là-bas c'est des sales cons. Là-bas tu n'as pas à y aller, après ce qu'ils t'ont fait. D'ailleurs l'honneur te l'interdit, ça te fait une raison officielle. Si mon frère était là il leur aurait fait une vacherie, cet imbécile il est toujours à cavaler et je peux pas lui en vouloir, s'il a le droit lui de couper à ces conneries, de s'en dispenser, mais il aurait trouvé une idée formidable pour les emmerder. Viens. Mets un manteau il fait froid. Mets ton vison, on va aller faire le trottoir, on gagnera des sous et on aura plus besoin d'eux.

– Et j'irai en prison pour détournement de mineure.

– Je dirai que c'est moi qui t'ai détournée.

– Ça ne comptera pas.

– Je te porterai des confitures. Avec une lime dedans.

– Je me poisserai les doigts.

– Tu te les laveras.

– Y a pas d'eau.

– Tu te les suceras. Viens, on va aller boire du coca-cola. Toi tu boiras du whisky, tu seras saoule et tu oublieras ton adresse, tu ne pourras plus rentrer à la maison. Parce qu'entre nous ton Philippe, hein ! c'est une vraie salope. Une vraie salope. Viens allez, on sort sans faire de bruit. On les plaque.

Et tu comprends, dit-elle : c'était le portrait de Julia ! C'est avec le portrait de Julia qu'il a fait ça ! Il s'est pas trompé.

– D'une pierre deux coups. Il est très fort Philippe.

– Une salope.

– Pourquoi ai-je fait un mauvais portrait ! Pourquoi n'ai-je pas de talent !

– Peut-être que ça viendra ?

– Je ne peindrai plus.

– L'ordure de type. Peut-être que tu feras autre chose ? Peut-être que tu seras une bonne pianiste ?

– Trop vieille, rien à faire ; les doigts. Je ne serai rien il est trop tard. Je ne sais pas ce que je peux être ! Je voulais tout et je ne suis rien ! Je ne sais pas ce que je suis ! Je ne sais pas quoi faire de moi ! Pour une seule chose je suis douée peut-être ; la vie. Mais c'est une activité déficitaire. Ça n'est pas coté sur le marché. Personne n'en veut ! Je ne sais pas quoi faire de moi !

– Tu parles comme un ivrogne russe de Dostoïevsky.

– Tu connais ça ?

– Je les ai vus au cinéma. Si tu dois parler comme un ivrogne, viens au moins te saouler la gueule.

– D'où viens-tu ?

– De me promener.

– Qu'est-ce qui t'a pris ?

– Tu le demandes ?

– Tu ne vas tout de même pas faire une telle histoire parce qu'on n'a pas trouvé ta peinture géniale !

– Je ne connais personne qui t'égale dans l'amalgame. Analyse : « une telle histoire » – un, je suis simplement allée me promener ; deux, c'est toi qui me fais l'histoire en question moi je ne l'ai pas encore ouvert. « On » : qui on ? tout le monde selon la tournure de ta phrase. « Géniale... »

– Qu'est-ce que tu as Céline ? Mais ma parole mais tu as bu ? Tu tiens à peine debout et tu sens l'alcool jusqu'ici !

– « Géniale » : mot exagéré jusqu'au mensonge, destiné à donner l'impression que j'ai nourri l'illusion que ma peinture pouvait l'être. Enfin, l'ensemble même de la phrase...

– Je te laisse parler pour voir jusqu'où tu iras...

– Jusqu'au bout : l'ensemble tend à faire accroire que j'aurais moi-même recherché des louanges et que je serais vexée de ne les avoir point recueillies. Alors que...

— Qu'est-ce que c'est que cette salade ?

— La tienne, que j'essaye de débrouiller.

— Je t'en prie Céline je n'ai pas besoin de toi pour savoir ce que je dis.

— Oh ça tu le sais très bien ce que tu dis : rien au hasard, je veux seulement te démontrer que moi aussi je le sais. Alors que...

— Et Stéphanie, qu'est-ce que tu en as fait ?

— Chez elle.

— Elle va se faire passer un beau savon.

— Elle y compte bien.

— Non mais tu ne vas pas me dire que tu as entraîné cette gamine dans tes, tes

— Turpitudes dépravations abjections débauches ignominies stupres. Bacchanales ? Débordements, déportements... Déportements peut-être ?

— Ça suffit.

— Tu en as un ?

— Ça suffit Céline !

— Ça suffit quoi ? Il ne sait pas. Ça suffit Céline, oui. Il suffit à Céline. Suffit avec. C'est elle qui m'a sauvée cette gamine, bénie soit-elle. De toi sauvée. Et puis respecte-la, elle a de l'intelligence plus que toute une charretée d'Aignans. D'oignons. Ah ah !

— Tu es ivre alors je ne relève pas.

— C'est ça laisse tomber c'est aussi bien par terre. D'ailleurs je n'ai pas terminé mon analyse grammaticale. Sémantique, pardon. Tend à indiquer que j'aurais moi-même recherché des louanges.

— Tu l'as déjà dit.

– Ne m'interromps pas. Alors que c'est toi, contre mon gré, avec une violence suspecte, que dis-je suspecte claire comme de l'eau de roche, une violence meurtrière, qui es allé fourrer ma misère sous le nez de ce marchand de ciment afin de me faire donner par expert puisque tu en tenais un, un coup mortel sur la gueule, salaud. Tu vois que tu es – Mais Philippe Aignan tu m'as donné une gifle ?

– Avec une femme saoule c'est le seul système.

– Mais Philippe Aignan, tu m'as donné une gifle ? Est-ce que tu l'as remarqué ?

– Ecoute Céline...

– Je ne l'ai pas sentie parce que je suis saoule, mais je l'ai remarquée !... Tu m'as donné une gifle Philippe Aignan. C'est la première.

– Ecoute Céline, tu m'as traité de salaud, toi.

– Et je te signale que c'est, également, la dernière. Je crois que je vais m'en aller. De ce pas.

– De ce pas ça m'étonnerait. Tu n'irais pas loin. Ecoute Céline, reste ici, je t'en prie. Couche-toi, demain on verra.

– Je ne sais pas si on verra, demain. Demain on sera peut-être aveugles.

– Couche-toi. Tu n'es pas capable de faire un pas.

– J'aimerais coucher ailleurs. Il n'y a pas un autre lit dans la maison ? Celui-ci est trop petit. Et il tourne.

– Mais non il ne tourne pas. Allons couche-toi. D'accord je n'ai pas bien fait de te donner une gifle. C'est un réflexe.

– Mauvais réflexe.

– D'accord. Entre dans le lit. Penser que j'ai été pendu au téléphone avec les Commissariats... Fou d'angoisse. Et toi pendant ce temps-là...

– Moi pendant ce temps-là je suis un mauvais peintre.

– Mais non mais non.

– Ecoute-moi bien : je suis un mauvais peintre, et je le sais. Je ne suis même pas un peintre du tout, et je le sais. Commettre un expert pour me le confirmer officiellement,

– Si tu le sais si bien alors qu'est-ce que ça peut te faire qu'on te le dise ? Je ne te comprends pas.

– virgule, c'est un acte gratuit de malignité perverse commis avec l'intention délibérée de nuire. Tu ne me comprends pas tralala. Mais moi, je te comprends, tu es un salaud Philippe.

– Ah écoute ne recommence pas alors !

– Ou un crétin. Mais je ne crois pas. Et en plus, tu gifles. Bref, un mari ! Ah, vous ne deviez pas finir par ce mot-là, il me raccommode avec tout le reste !

– Céline, étends-toi. Demain on parlera de tout ça à tête reposée.

– Non on ne parlera pas, demain. Demain je dormirai. Car je suis fatiguée. Fatiguée fatiguée fatiguée fatiguée. Et j'en ai marre, marre, marre, marre, marre. Je m'en vais tiens.

– Ecoute, reste tranquille.

– J'ai mal au cœur.

– Ça y est.

– Ah ah. C'est pas vrai. Mais j'en ai marre, ça,

c'est vrai. Je ne peindrai plus. Jamais, c'est juré mon chéri tu es content ? Je ne peindrai plus. Je jouerai du piano !

– C'est ça. Demain tu iras le choisir. Dors.

C'est comme ça que j'ai eu mon piano.

Un piano contre une gifle, je n'ai pas pris le moins cher. On a sa dignité. Philippe aussi : il a signé le chèque. Dieu sait pourtant s'il était sûr que j'avais oublié la promesse, faite à un ivrogne, et qu'il n'avait lâchée que dans la perspective d'une amnésie totale. Le chafoin. Voilà ce qu'il en coûte de mépriser son semblable et de trop miser sur son avilissement. Demi-million. D'ailleurs j'ai choisi celui qui me plaisait le mieux, sans plus ; ainsi qu'à Stéphanie, qui en connaissait le prix et avait reçu également sa gifle, le même soir ; mais pas de piano. Et avait ainsi selon moi des titres à être associée à celui-ci.

– Ça valait quand même la peine, dit-elle. Rien que pour t'avoir servi de fil à plomb.

C'est d'ailleurs ce qu'elle avait dit à sa mère, après la gifle : ça ne fait rien ça valait la peine je te pardonne ; réflexion qui lui en avait valu une seconde après laquelle elle avait précisé que même deux, ça valait. La mère avait renoncé à pousser plus loin les enchères, elle n'avait pas giflé depuis cinq ans. Mais il faut se mettre à la place d'une Mère qui voit rentrer sa fille à deux heures du matin tandis que le Père aux abois appelle tous les hôpitaux de la ville. Stéphanie l'a bien compris et ne leur en veut pas.

– Quand tu seras mariée tu seras mieux payée.

– Tu parles avec les exemples que j'ai autour de moi, un qui tue sa bonne femme l'autre qui la gifle, plus mes vieux qui se parlent pas, si ça peut m'encourager. Je songe plutôt à me faire putain. Bruno m'a dit ce qu'elles se font par jour c'est correct.

Je crus de mon devoir de lui représenter les inconvénients de la profession, sur lesquels Bruno avait négligé de l'éclairer, et dont j'avais une connaissance de seconde main. Elle était trop idéaliste cette gosse. Je parlai des fatigues de la station debout, des hauts talons, des intempéries ; la nécessité des Jules l'ennuya. Avant d'en venir à la vérole et à des détails pas de son âge je lui désignai, dans la rue, quelques messieurs qui passaient, et je lui demandai : et celui-là ? A la trentaine, elle canait. J'ai peur d'avoir privé la rue Blondel d'un élément remarquable. Mais je crois avoir rendu service à Stéphanie : l'important c'est d'être correctement informé ; maintenant elle fera ce qu'elle voudra. Je conclus enfin, compte tenu des inconvénients, au moins égaux à celui aux pièces, du travail à forfait, qu'en fait de putasserie, la plus sûre, la moins fatigante, à condition de l'aborder avec un bon esprit, c'est-à-dire strictement pratique, c'est encore le ma-

Qui parle ? Qui dit de telles choses ? Qui est cette personne cynique et blasée ?

– Qu'est-ce qui t'arrive ? T'as avalé l'Homme invisible ?

– C'est pas moi qui parlais.

– Qui c'était ?

– Connais pas. Moi, je n'ai pas des idées pareilles. Jamais.

– Quelles idées tu as toi ?

– Qu'il faut pour faire l'amour être inspirée. Qu'il faut chercher la petite lueur, qui, attends que je me souvienne, c'est si loin, voyons, petite lueur petite lueur, ça va sûrement me revenir. Les hommes sont des petits morceaux. Ah oui : « La perfection est au ciel et sur la terre il n'y a que des petites lueurs dispersées et c'est ça l'amour des hommes mais c'est la chose la plus merveilleuse du monde surtout si en même temps il fait beau et si le vin est bon et il faut faire l'amour avec la lune par lueur interposée » amen. Ça c'est moi. Ah oui alors je me reconnais bien là : quelle gourde !

– Et pour bouffer ?

– Se démerder. Petits oiseaux. S'en remettre à Dieu.

– Qui, si je te connais bien, n'existe pas ?

– Qui n'existe pas.

– Commode.

– Non ; mais intéressant. Dispensateur de joies considérables, même si fondées sur l'illusion. Vive l'illusion, si elle fait jou – si elle – bref. Ah mais tiens je sais qui parlait à ma place tout à l'heure ! C'est une maladie que j'ai attrapée ces temps derniers. Une maladie mortelle, si elle n'est prise à temps.

– C'est quoi ?

– L'Expérience de la Vie.

– Je t'aime.

– N'attrape jamais cette maladie-là !

– Je t'aime. Il y a d'ailleurs longtemps.

– Voilà ce qu'elle a fait de moi : une pute cynique et sans foi, qui achète des pianos.

– Je sais que tu m'as entendue.

– Bien sûr, je ne suis pas sourde. Alors voilà j'ai un vison ; un piano ; des robes ; à Noël, j'aurai des perles ; c'est Julia qui voulait que j'aie des perles, et je les réclamerai ! Je les recevrai comme un cadeau d'elle. De l'au-delà. Sa main tendue vers moi de l'Au-delà, tenant des perles. Il faudra donc qu'elles soient vraies, avec une telle origine.

– Tu aimais Julia.

– Je ne sais pas. Qu'est-ce que c'est aimer ? Tu le sais, toi ?

– Céline, tu ne veux pas me répondre !

– A quoi ? Tu ne m'as pas posé de question. Je n'ai pas remarqué. M'as-tu posé une question ?

– Je t'ai fait une déclaration.

– Je l'ai enregistrée. Que fait-on d'une déclaration ?

– Tu es dure.

– Là tout d'un coup, en plein Paris. Sur la place du Trocadéro. Est-ce un endroit. Tiens, allons ailleurs, allons au Quartier, il y a un enfer que je n'y ai pas mis les pieds. J'en ai marre d'ici.

– Tant pis ne me réponds pas je m'en fous je t'aime quand même que tu le veuilles ou non. Après tout ça me regarde !

– Eh bien voilà, nous y sommes. Tu y es

arrivée. D'ailleurs je te félicite, ce n'était pas facile. Et je te remercie, car pour une déclaration, on doit merci, c'est un honneur qu'on vous fait de vous aimer. Car le Dieu mon cher Phèdre est dans celui qui aime, non dans celui qui est aimé ; bien qu'il l'y voie, ou croit voir. Mais au fait, a-t-il raison ? Car le Dieu mon cher Phèdre est dans celui qui est aimé, où celui qui aime peut le voir à travers son incarnation, sans laquelle il n'aurait pu directement Le percevoir – et c'est ainsi que la passion est le chemin de la Connaissance, et nous permet d'accéder là où nous n'aurions su monter sans son intermédiaire.

– Et là c'est toi qui parles ?

– C'est Platon, modifié Rodes 1963, Paris. Kali-Yuga. Et voilà pourquoi mon cher Phèdre il est bon ou d'aimer, ou bien de l'être, mais pas les deux ensemble, si possible. Si possible. Si possible. Car là est la chute, lorsque deux miroirs placés face à face se brisent l'un contre l'autre en voulant se rejoindre. Sans compter quatorze ans de malheurs. Cavale après ce taxi.

– Alors c'est moi qui aime ?

– C'est ce que tu as dit.

– Et toi, qui es aimée ?

– Grammaticalement obligé. Et profondément bon, tu t'en rendras compte.

– Si je t'ai bien compris...

– Comprise.

– Platon.

– Pardon.

– Si je vous ai bien compris tous les deux, tu acceptes donc d'être aimée ?

– Eh qu'est-ce que j'y peux ? Grammaticalement obligée. Et, Stéphanie, énormément dangereux.

– Pour qui ?

– Pour les faibles.

– Je suis forte !

– Personne n'est fort. Personne. C'est pourquoi,

– Mon cher Phèdre,

– Ma chère Stéphanie, nous nous tairons. Assez de madrigaux. Viens, je vais t'acheter ce livre que je t'ai cité, et dont je ne me rappelle pas un traître mot.

Une librairie. Pleine de livres. Il y a combien de siècles que je n'ai mis les pieds dans une librairie ? Ah, il fut un temps où je les piquais les livres, par besoin, par frénétique besoin ; par amour ; et depuis que je peux les payer je ne vais plus dans les librairies ! Mais, quelle monstruosité ! Quelle répugnante ingratitude ! Ah, mais je vais me racheter ! Au centuple, je vous le rendrai, pardon ! Stéphanie a dû monter à l'appartement pour m'aider au transport.

– Qu'est-ce que c'est que tout ça ? Tu as l'intention d'entrer au lycée ?

C'est Philippe bien sûr qui parle on l'a reconnu. Philippe rentré avant moi pour une fois car on a pris un verre au *Flore* et puis un verre au *Nuage* et puis on a rencontré Kiki et puis bref, nous voilà.

– Ta mère a appelé, Stefi. Elle se demande encore où tu es passée. Ou plutôt elle ne se le demande pas.

– Alors tout va bien, dis-je.

– Non tout ne va pas bien justement ! Mère trouve que Stéphanie a autre chose à faire que, que – qu'est-ce que vous avez foutu d'ailleurs ?

– On a acheté des livres.

– Ça, je le vois.

– Alors pourquoi tu le demandes.

– Toi... Toi tu... Stéphanie, appelle ta mère. Oui, tout de suite. Puisque je te le dis. Toi, (à moi) tu m'avais pourtant promis !

– Quoi ?

– De ne plus boire !

– Moi ? Quand ça ?

– Quand tu était saoule.

– Alors comment veux-tu, ce n'est pas sérieux Philippe.

– Oui maman –, non maman – Ecoute maman...

– Cela dit, je n'ai pas bu.

– Tu sens.

– Je sens parce que toi tu n'as pas encore bu. C'est un simple décalage dans le temps. Je suis dans la quatrième dimension et toi tu es resté dans la troisième.

– Oh, toi et tes sophismes !

– Mais enfin Philippe qu'est-ce que tu appelles boire ?

– Boire. Boire, quoi !

– Je n'ai pas acheté assez de livres. Il manque le dictionnaire qui nous permettrait de nous parler, toi et moi. Mais je crains qu'il n'existe pas dans le commerce. Je vais le faire. Demain, je m'y mets. J'achète du papier...

– Mais non maman – Ecoute maman – Mais maman – Je t'assure maman – Oh là là ! – Tout de même maman – Oh et puis zut à la fin ! – Bon – Oui – Bien – D'accord. Ah là là ce qu'elle peut être nerveuse ta mère !

– Tu vas me faire le plaisir de filer maintenant. Moi j'en ai marre de te voir ici en permanence.

– Elle aussi. Il paraît que j'ennuie Céline.

– Moi ? Comment le sait-elle ? Il me semble que je le saurais avant tout le monde.

– C'est ça, encourage-la. Et son bachot, tu crois que c'est en traînant qu'elle va l'avoir ?

– C'est dans deux ans, elle peut traîner encore un peu.

– Mais je m'instruis, avec Céline ! Elle cite tout le temps les philosophes !

– Les philosophes. Ça m'intéresserait d'entendre ça tiens.

– Mais j'ai essayé autrefois Philippe : tu m'as toujours coupé le sifflet. Et maintenant tu en demandes, hein ? Eh bien tu n'en auras pas. Je boude. Car vois-tu mon cher Pécuchet si deux miroirs placés face à face se brisent l'un contre l'autre que reste-t-il de la belle image autrefois reflétée – que dis-je ? Qu'est-ce que je raconte ? Que peuvent refléter deux miroirs placés face à face ? Que peuvent-ils refléter mon cher Phèdre ? Je suis folle. Je me suis trompée depuis le début.

– Cela n'est pas douteux. Tu es encore là toi ? Je ne t'ai pas dit de filer il y a un quart d'heure ? Bonsoir !

– Stéphanie ! ton bouquin tu l'oublies. Il y en a un pour toi dans le tas, où est-il. Attends, je l'ai.

– S'ils mettent des obstacles me dit-elle entre deux portes, ça va devenir Roméo et Juliette mon truc.

– Je t'en prie, tiens bon. Ça démarrait bien. On passera à la clandestinité c'est tout.

– Tu viendras me chercher à la porte du lycée.

– Avec des bonbons. Et une barbe blanche. Je finirai dans la ciguë, Xantippus me la servira par faibles doses quotidiennes...

– Tu n'es pas encore partie Stéphanie ?

– Va. C'est l'alouette. A demain.

★

A deux heures du matin Philippe, hier. Et sans téléphoner. Il était à un dîner, d'affaires, sans femmes, enfin c'est ce qu'il m'a dit et j'ai tout lieu de le croire (oui oui je sais, on va rire de moi, mais ce préjugé favorable à l'égard des maris en ribote date du temps du vaudeville et à Paris de nos jours c'est la monogamie qui est à la mode. Et puis si je me trompe tant pis, ça n'a rien à faire dans l'histoire). Donc, il entre, souriant aimable, me trouve couchée, occupée à lire. J'en profite ; quand il est là on ferme plus tôt.

— Tu ne dors pas ma chérie ?

— Non tu vois.

— Tu m'attendais ?

— Non, je lisais.

Pause. Un blanc. Il tourne dans la chambre. Va se déshabiller. Revient. Traîne.

— En somme tu es bien tranquille.

— J'aime lire dans le lit c'est vrai.

— Quand je ne suis pas là tu es bien tranquille.

— ... (pas de commentaire : lequel ?)

— Tu ne t'es pas inquiétée.

— Si je me suis inquiétée mon chéri c'est fini maintenant puisque tu es là.

— Tu pourrais me dire que tu t'es inquiétée.

— Tu n'aurais pas manqué de le prendre comme une scène, et une offensive contre ta liberté. Et tu m'aurais rabrouée.

— Peut-être. Mais ça m'aurait montré que tu te soucies de moi. De temps en temps on a besoin de le savoir. On peut avoir des doutes. Quand on voit une femme vivre à côté de vous, s'asseoir, marcher dans la maison, sans paraître remarquer votre présence... qui a ses occupations.

— Dont la plupart concernent cette maison même.

— Et d'autres, et d'autres...

— Il ne faut pas ?

— Qui n'a jamais un geste.

— Du moins je ne gifle pas, moi.

— Ah c'est donc ça ? Tu as la rancune tenace !

– Mais non c'est pas ça. Tu parles de gestes alors ça me fait penser.

– Il vaudrait peut-être mieux, que tu gifles ! Que tu offenses comme tu dis ma liberté ! Que tu me fasses des scènes, de jalousie voire même ! Plutôt que ce rien ! Madame sort, se promène, va manger des glaces avec une gamine, comme si elle en était une elle-même ! A trente et un ans ! (ça il ne ferait pas de cadeau, toujours galant). Ou bien est plongée dans des livres. Toutes ces conneries ! – ce dernier trait illustré par l'envoi à travers la chambre, d'un revers, du spécimen présentement dans mes mains.

Nous y voilà. Je comprends tout à coup pourquoi le piano a été accepté sans crise. C'est qu'à m'entendre il a vite constaté que cette trop tardive entreprise était vraiment sans espoir.

– Et c'est quoi celui-là ? Il s'occupe à déchiffrer de loin et à l'envers le titre de l'ennemi à terre. « Les dix manières de garder les vaches. » Tu as l'intention de te mettre à l'agriculture ?

– Eh oui. J'ai des besoins de campagne ces temps-ci.

Dieu sait que je n'y songeais pas mais il vient de me donner l'idée.

– D'air pur. L'air d'ici m'anémie mortellement, je crois que la rue de la Pompe est particulièrement malsaine, d'ailleurs j'ai rendez-vous demain chez le docteur, – j'improvise brillamment – s'il me trouve comme je me sens, j'envisage d'aller en Italie, chez les parents de Julia. Tu te souviens qu'ils m'ont invitée, le jour – où ils sont venus. Je n'ai qu'un câble à envoyer.

– Julia. Et tu ne te demandes pas si cela me convient, si je n'ai pas pris moi d'autres dispositions, où ta présence serait prévue !...

– Si la campagne m'est ordonnée, je t'apporterai un certificat médical. Dans ces cas-là même les employeurs s'inclinent.

Il va mourir je l'ai tué il va mourir. J'essaie de ne pas rire. Le pauvre. Avec sa scène rentrée, que j'ai fait tourner court sans résultat aucun, sa violence qui n'a rien soulevé qu'un malheureux livre, et son lourd sarcasme à propos de vaches qui lui est retombé sur le nez, et où je ne l'ai suivi si docilement que pour le précipiter dans un ridicule dont il mesurera la profondeur dès qu'il viendra fouiner, moi dos tourné, dans le bouquin, et y prendra la mesure de son ignorance et du point où j'en suis car c'est un texte bouddhiste – ah le pauvre. Il ne sait pas que je me suis mise au Judo. Une des connaissances les plus utiles pour la vie conjugale.

Il s'est figé comme un sorbet au citron. Demain, c'est lui qui aura la crise, qui sera au lit, moi qui soignerai, mon certificat médical en poche néanmoins car je ne parle pas en l'air.

Et la semaine suivante, bon vent.

★

– Tu me quittes, dit Stéphanie. Tu ne seras plus là. Je ne te verrai plus.

– Tout cela est profondément exact.

Nous suçons des bonbons, assises sur un banc de square. Je suis allée la chercher à la porte du lycée et je lui en ai apporté. Comme promis. C'est bien plus drôle quand c'est vrai.

– Et tu me manqueras.

– Voyons Stéphanie, pour être à Rome je n'en existerai pas moins. Une vulgaire question de géographie suffira-t-elle à changer ton état ?

– Non. Mais elle va l'empirer.

– L'aggraver. Bon elle va changer sa forme, ce sera l'Absence.

– Ça me paraît bien intellectuel...

– Oui mais ça vaut peut-être mieux. Car moi je ne crois pas, comme notre bon Maître, que nous soyons composés d'une âme et d'un corps.

– Seigneur, chez moi c'est un sacré mélange, entre les deux. Si tu savais.

– Tais-toi. Ne sachons pas, je pars, c'est excellent.

– Non ! ce n'est pas l'alouette, c'est le rossignol !

– Voyons Stéphanie, c'est le merle que tu entends. Adieu.

– Adieu Céline. Permets-moi de penser à toi.

ON est inconscient. On ne se rend compte de rien. On ne se connaît pas. J'allais, toute tranquille. Sagement. Chastement.

Philippe ne me manquait pas. Son absence passait pour ainsi dire inaperçue. Je m'y suis faite tout de suite. Et les gens vous parlent d'habitude. Rien qui soit plus fragile, plus prompt à lâcher. Le second soir me prenant à m'étaler dans le lit, je me suis avisée que je dormais seule. La veille ça ne m'avait pas frappée. De ma sérénité je conclus à mon détachement des choses du sexe ; cela me procura plus de soulagement que de regrets.

J'allais, toute tranquille, dans la grande maison, dans le jardin ; je marchais sur les collines, sous les oliviers. Je rêvassais, à propos de Stéphanie ; à propos de l'amour, je veux dire du vrai ; je veux dire de celui qui consiste à aimer et non pas à désirer l'être, deux actes distincts entre lesquels a lieu le mélange affreux que l'on sait. Il me semblait avoir offert à Stéphanie une chance unique, d'aimer à la forme active, sans l'interférence néfaste de la forme passive. Je me demandai quel était le meilleur, d'aimer, ou d'être aimé. Je conclus que c'était le premier.

Il m'apparaissait que je n'avais moi-même jamais aimé de la sorte ; personne ne m'y avait condamnée. C'est-à-dire que je n'avais en fin de compte jamais aimé. Aimé quelqu'un. Sans exigence de retour — quelle merveille ! J'enviais Stéphanie. Je me mettais à sa place. Je m'y délectais. Je devais me tenir pour ne pas me mettre à l'aimer à mon tour à cause de la grâce de son état. Mais cela eût tout gâté. Je devais rester dans mon humble rôle d'objet de l'amour.

Je madrigalisais à perte de vue. C'est le pays aussi qui veut ça. Il est si doux, presque divin. Les pins y sont éternellement verts, les oliviers éternellement argentés, le ciel éternellement bleu, et le soleil brillant. Ici c'est bon. Que va-t-on faire ailleurs mon Dieu ! Que font-ils là-bas, sous ces climats imbéciles ? Pourquoi avec un ensemble ovin sont-ils tous allés se fourrer dans cette chienlit de nord, de brouillards de pluie et de merde ?

Il est vrai que la merde est à eux, pas au pays. Après tout autant qu'ils se soient mis là-bas comme ça il reste la possibilité d'aller où c'est bon, et où ils ne sont pas.

Le soir il y a une lune folle. J'ai eu la veine d'arriver quand elle montait. J'ai vu le Croissant. Tous les soirs je vais la regarder grandir. Voilà une vraie occupation. Nue dans le ciel, brillante.

Ou bien, à travers le feuillage des oliviers. Ou en haut d'un pin. Je la mets où je veux, je la fais bouger, je, la place. Je l'aime. En face de la maison, au sommet d'une colline, il y a une ligne de pins parfaite. Des pins : extraordinaire. La lune : extraordinaire. Quelle chance d'avoir une lune ! On ne s'en rend pas assez compte, mais c'est une chance énorme ! On aurait aussi bien pu ne pas en avoir. Cette planète, quel bijou ; les couleurs, les formes ; tout. Non vraiment Seigneur, vous l'avez réussie, il n'y a qu'un truc que vous avez loupé : le dernier. Vous étiez peut-être fatigué ? Mais tout le reste, il n'y a rien à dire. En particulier la lune ; ça c'est un vrai cadeau. Merci. Il y a des gens qui trouvent ça ridicule de regarder la lune : qu'ils aillent se faire foutre dans une cave à charbon.

Il y a des gens qui ne la voient pas. Et peut-être après tout il y a des gens qui voient autre chose, que ce que je vois. Un rond. Philippe doit voir un rond. Et les feuilles des oliviers qu'elle argente, des petits morceaux de trucs clairs qui remuent. Moi j'aime. J'aime. J'aime. Le ciel la nuit, ça me rend folle. Je cavale sur les collines comme une dingue. Et le jour c'est le soleil, qui me tue. Le soleil aussi c'est extraordinaire. Ce n'est pas parce que je dis du bien de la lune que je n'aime pas le soleil. Il ne faudrait pas me demander de choisir. Mais on ne me le demande pas. On me donne les deux. Est-ce que ce n'est pas parfait ?

Je ne fais strictement rien, à part d'être là. Et ça prend tout mon temps. Je vis au milieu de ces gens, qui ne sont rien d'autre que gentils. Gentils. Cela devrait-il étonner ? Cela m'émerveille à chaque heure du jour : j'étais désaccoutumée ; là où je vis, cela n'existe plus, tout simplement, c'est perdu oublié ; c'est la prétention, la fatuité, la morgue, l'ironie, le faux brillant tout en mots, tout en surface, et pour la moindre babiole l'humeur agressive, la hargne, l'aigreur. Mais qu'est-ce qu'il a donc ce peuple autrefois si gai dit-on, autrefois nommé le plus spirituel de la terre, maintenant grincheux, morose, et prude ? Qu'est-ce qu'il lui est arrivé ? Ici, ils n'ont pas encore cette maladie, que le ciel la leur épargne ! Ils sont gentils : quel repos ! Quelles délices ! Si vous saviez vous en feriez autant vous seriez tentés. Je suis bien. J'aide à la maison ; j'apprends la cuisine locale : faire les choses soi-même que c'est reposant ! Jour des lasagnes, jour des gnocchis, jour de l'abacchio ! Et qu'est-ce que je bois comme frascati, on est juste dessus, les vignes nous entourent, encore noires, avec des têtes vertes. Je crois que le rossignol a commencé, il m'a semblé l'entendre dans la nuit ; mais je dors toujours avant son heure, je l'ai peut-être rêvé. Un soir, je l'attendrai ; je serai patiente. Je me mettrai à méditer sous un olivier. Je prendrai un livre : la lune sera peut-être assez forte. Je lis saint Augustin et des textes Bouddhistes. Voilà où j'en suis, voilà où j'en étais, quand Fabrizio est entré dans la pièce.

On dira à présent : cette femme était mûre pour l'adultère. Moi-même, je n'y ai pas manqué.

C'était évident, cela crevait les yeux. Eh oui, c'est facile, après, de dire. On aurait pu m'ouvrir le cœur, avant, qu'on n'y aurait rien vu.

C'est comme ça que j'ai entendu le rossignol. La lune était pleine, enfin. C'est peut-être ce qu'il attendait.

★

Je suis partie quelques jours plus tard. C'était prévu, que je partais. Je suis partie. La vie est simple. Comme dit Philippe.

★

Alors parlons-en de l'amour, tiens. Parlons-en un peu !

– Tu as fait bon voyage ?

– Excellent. Il faisait beau. Tu ne peux pas savoir, le temps qu'ils ont là-bas. D'ici on ne peut même pas imaginer, tellement on est enfoncé dans la bouillasse. Ecoute, je suis partie dans un ciel bleu. Bleu vraiment. Au-dessus de Milan on a commencé à avoir des nuages. Simplement des nuages. Mais alors, quand on est arrivés sur Paris, ça je ne l'oublierai jamais. Là, en bas, une bassine de crasse épaisse, noire, dégueulasse. Je me suis dit : c'est pas possible on vit pas là-dessous. On pourrait pas. On serait asphyxiés. Eh bien c'est là-dedans qu'on est rentrés. Dans la bassine. Qu'on s'est enfoncés, littéralement. On voyait rien. Du gris. Rien. Ça m'a fait peur, je te jure. Je me suis dit Ils ne vont jamais voir le sol.

— Tu sais bien qu'ils ont des radars.

— Mais la question n'est pas là ! Je le sais bien qu'ils ont des radars ! C'était animal mon truc : je ne voulais pas entrer là-dedans ! L'instinct de conservation probablement. Après une fois posés, je me suis aperçue qu'on voyait tout de même ; j'ai distingué les baraques, cette espèce de cochonnerie en verre, je suis sortie de l'avion, ça avait l'air normal, habituel, les gens marchaient, vivaient, ils n'avaient pas l'air en train de crever — et moi aussi comme eux. Sauf que maintenant je sais qu'on vit dans la merde : je l'ai vue de mes yeux, du dessus. Je nous ai vus. Maintenant je me vois. Je sais que je me promène dans la merde. Plus de doute. C'est pas des salades. C'est prouvé. Je ne vais pas l'oublier. A toutes les heures je le saurai.

— Ce n'est peut-être pas nécessaire de te forger des obsessions.

Obsession : conscience d'une chose réelle. (Note pour le dictionnaire Célino-Philippien). Fonction du mot : faire passer la chose réelle, qui gêne, pour une imaginaire de façon à la faire avaler et que la fête continue. Autre exemple : Bombe Atomique : — Obsession maniaque de certains esprits chagrins de 1945 à... Fonction : supprimer la bombe. « Malte n'existe pas. » Il sera très mignon ce dictionnaire. En fait Célino-Philippien est un titre trop restrictif pour un ouvrage de cette importance. Il mérite la généralisation. Il est d'intérêt public. Je l'appellerai Dictionnaire Sémantique. Merde, mais je vais le faire ! Dictionnaire Sémantique Néo-Bourgeois.

– En tout cas il semble que tu sois revenue en forme de ce petit voyage. Tu as retrouvé ta langue.

– Oui. Ça m'a fait du bien.

Telle est la voie de la femme adultère : elle mange, elle s'essuie la bouche, et puis elle dit : ça m'a fait du bien.

Eh quoi : c'est vrai. Philippe même y gagne, je suis plus gentille. Contaminée peut-être par les mœurs de là-bas, pas encore remise à celles d'ici. Quant au reste, ça irait même plutôt mieux. Tiens, ça n'allait donc pas si bien que ça ?

Il y a trois choses qui sont au-dessus de ma portée. Et quatre, que je ne puis comprendre : la trace de l'aigle dans le ciel ; la trace du serpent sur le roc ; la trace du navire sur la mer ; et la trace de l'homme chez la jeune femme.

Moi non plus, je ne comprends pas.

★

Tout d'un coup j'ai fondu en larmes dans mon assiette.

– Qu'est-ce qui t'arrive ? Mais qu'est-ce qui te prend mon chéri qu'est-ce que c'est ?

C'était le grand chœur de la *Passion* selon saint Jean. La radio donnait l'œuvre entière ; j'écoutais, presque distraitement ; et tout d'un coup le grand chœur m'est tombé dessus. Je ne m'y attendais pas. Il était tombé en terrain vierge, avec tout le poids de sa beauté. Ainsi m'avait-il attaquée par surprise, et aussitôt vaincue.

– C'est la musique.

Alors j'aimais la musique. Je l'aimais de nouveau, elle m'était rendue. Le bonheur redoubla mes larmes.

– La musique ? Philippe regarde vers l'appareil, cause de ce cataclysme. C'est très beau, en effet. Il écoute. Mais, tout de même... Tu es sûre qu'il n'y a que ça ? Il n'y aurait pas autre chose, que tu me caches ?

– Tu ne trouves pas que ça suffit ?

– Je ne sais pas. Mais une réaction si violente tout de même... Ou alors tu es bien hypersensible. Je ne sais pas si tu as bien fait d'arrêter tes médicaments.

– Des médicaments contre la musique ?

Dieu merci le chœur est fini. J'aurais eu du mal à supporter les deux ensemble, Philippe, et Bach. J'achèterai le disque.

– Je dois être, plus simplement, sensible. Dieu merci.

Hypersensible : susceptible de ressentir des impressions. Contraire d'hypersensible : Normal. – Ne rien sentir du tout. Exemple : acheter une radio deux cent vingt mille balles, l'ouvrir pendant qu'on mange et ne pas entendre ce qui en sort.

Le Dictionnaire avance. J'ai acheté le Littré et le Dictionnaire des Idées Reçues. Il faut s'appuyer sur les Maîtres, si légèrement que ce soit. Et le dernier au moins il en connaissait un bout lui aussi sur la connerie ; il m'est plus utile que cette inscription en philologie que j'ai cru, par excès de conscience, devoir prendre, et qui a eu pour principal résultat un des meilleurs numéros de Philippe, sur le thème En voilà bien d'une autre et qu'est-ce que tu veux faire de ça ma pauvre fille et à ton âge en plus, toi qui n'as jamais été foutue d'avoir une licence avec tout ce que soi-disant tu as appris. Ce qui est un fait. Peu importe. La philologie en tout cas ne donne rien du tout. Pourquoi les gens affectionnent-ils à ce point de se perdre dans le détail, quel génie singulier leur fait-il choisir entre tous celui qui ne touche pas l'essentiel, quelle étrange répulsion les empêche de saisir à pleins bras la vraie science dans sa généralité – autant de mystères pour moi, de mystères des hommes. Seuls les mathématiciens ont de l'audace, ils sont si loin, mais dès qu'on approche le concret c'est la fuite, la débandade, la Grande Myopie. J'ai vaguement pensé à fonder une chaire, dans un instant de délire furieux ; j'en ai touché deux mots à Philippe pour voir sa réaction, c'est toujours amusant. Enseignement : Comment ça pense l'homme. Passons. J'ai lâché la Philologie je m'en tape. Ah ah, je savais bien, Ma pauvre fille, Ça non plus, etc., air connu. Et qu'est-ce que tu fais avec tous ces papiers, quelle est cette nouvelle marotte ?

– Je fais un dictionnaire.

– Elle est folle. Tu ferais mieux de venir te coucher.

Pour quoi faire ?

Car enfin, pourquoi se leurrer. La mécanique fonctionne encore, mais l'inspiration ferait quelque peu défaut le soir sur les minuit dans le lit conjugal. Et, parfois, « j'ai la flemme ».

Amour. – A : pour une femme ; consécration totale à la vie domestique, avec service de nuit. B : pour un homme ; être content comme ça.

– Amour : acceptation et contemplation d'un Autre que soi-même, pris comme il est, et sans attente de retour. Ça c'est le Dictionnaire Absolu. Je fais un dictionnaire absolu, dit Stéphanie.

Et ton bachot ! dit tout le monde ; et Philippe : tu influences cette gamine d'une façon catastrophique. Elle ne voit que par toi, elle t'imite, elle parle avec tes mots. Tu vas la couler complètement.

– Pour couler, je connais quelqu'un qui me dame le pion.

– Qui ?

– Toi.

– Moi ? Et qu'est-ce que ça veut dire ça ? Hein, qu'est-ce que ça veut dire ? Tu peux préciser ta pensée ?

– Je te ferai un catalogue.

– Un catalogue, un dictionnaire ! Ah ah ! Tu es complètement tordue ma pauvre fille, tiens. Voilà ce que tu es.

— Top.

— Quoi top ?

— Exemple de coulage : tu es complètement tordue ma pauvre fille voilà ce que tu es. Y a pas eu besoin d'aller chercher loin.

— Si tu étais tellement sûre de ne pas l'être ce n'est pas mes malheureux mots qui pourraient « te couler ». Ça prouve bien que tu n'es pas solide.

— Top ! Deuxième exemple. Semer le doute.

— Evidemment si tu t'arrêtes à tous les mots ! ça devient de la paranoïa.

— Top.

— Mais, tu es folle !

— Top.

— Oh, ça va !

— C'est toi qui m'as demandé de préciser. Remarque, ce n'est pas le premier choix ces exemples-là, j'ai pris le tout-venant. Tu peux faire beaucoup mieux.

— Je me demande ce que tu as ces temps-ci. Tu es... Tu es...

— Alors ? Tu cherches un mot qui ne soit pas enfonceur, hein ? et tu n'en trouves pas ? Je suis... je suis... Je suis ce que je suis si tu veux savoir, peut-être que c'est justement ça qui ne te plaît pas ? Ce que je suis ?

— Seule condition de l'amour : que l'Autre consente à être aimé. C'est dur.

– Mais ne crois pas que l'Autre ait la partie plus facile.
– Tu veux dire ?
– Je refuse de développer.
– Ce serait dangereux ?
– Très très.
– Quel bonheur.
– Sortons. Allons nous promener. Il fait beau. C'est criminel de rester enfermé par un temps pareil. D'ailleurs j'ai pris un rendez-vous.
– Tu as rudement bien fait.
Philippe m'a dit : je me demande ce que tu as ces temps-ci, tu dois subir une influence. N'aurais-tu pas renoué avec tes anciens amis ? Je ne veux pas qu'il se casse la tête pour rien ce pauvre chéri. J'ai renoué.

Thomas monte un burlesque. C'est fait comme un saloon ordinaire, pas tape à l'œil, et assez bordel. On se demande même où mène l'escalier au fond.
– Alors il y aura un strip-tease ? dit Stéphanie.
– Bien sûr qu'il y aura un strip-tease.
– Alors vous allez engager Céline ?
– Pourquoi Céline ?
– C'est pas vrai Stéphanie je t'ai raconté une craque. Je n'ai jamais fait de strip-tease. Public.
– Mais au fait, en privé tu étais douée.
– Je savais bien, dit Stéphanie.

– Comment ça ? dit Thomas, qui ne va pas en louper une.

– Elle imagine, dis-je.

– Oui, j'imagine, dit Stéphanie.

– Eh, bien ! dit Thomas. Mais dis donc Céline, tu n'as pas changé tellement que ça !

– Je crois que je suis en train de changer de moins en moins.

– Vraiment ? dit-il en me regardant de plus près. Dis-moi, combien de temps ça fait ?

– Je ne veux pas y penser.

– Bon dieu, ce chagrin d'amour que tu m'as collé. Et désires-tu savoir comment j'en ai été guéri ? Asseyez-vous, qu'est-ce qu'on boit ? Un soir, longtemps après, dans une boîte où je faisais un peu de public-relations, j'ai vu arriver trois couples du genre qui vient dans ces endroits infects. J'étais au bar. Je vous voyais, et vous ne me voyiez pas. Il y avait une brune remarquable.

– Julia, dit Stéphanie.

– Elle est morte, dis-je.

– De quoi ? si jeune.

– D'un mari. Non, ne crois pas qu'il l'ait tuée sous lui, oh non : il était au volant.

– Elle méritait mieux. En tout cas toi, je t'ai à grand-peine reconnue. Te vexe pas coco, tu faisais bien quarante berges. Tu étais... je ne peux pas te dire.

– Je n'étais pas ?

– C'était pénible à voir ; pour moi je veux dire ; pour les gens tu étais une de ces femmes, plutôt pas mal, jolie je dirais, plus jolie que tu n'es, bien sapée, enfin en uniforme. Et l'air un peu con. Toi. Je me suis dit et ben merde, Céline ! et j'ai été guéri. Pardon.

– C'était Madame Philippe Aignan.

– C'est vrai j'aurais dû y penser. Bonjour, Céline.

– Bonjour Thomas. Et il m'embrasse.

Non sérieusement, j'aimais bien Thomas. J'ai toujours bien aimé Thomas ; il a quelque chose d'un homme ; c'est un ami.

– En tout cas si tu consens à faire un strip, si ma mémoire n'a rien exalté, et si tu as gardé le même gabarit, je suis prêt à t'engager. On ne marche pas dessus, les filles marrantes qui peuvent se mettre à poil, j'en cherche.

– A vrai dire Thomas je ne peux pas tellement me foutre à poil, malgré tout, je suis – mariée.

– Et moi ? Moi j'aimerais bien faire du strip-tease. Je sens que je suis douée.

– Je suppose que je refuserais du monde dès le deuxième soir, mais –

– Seize ans, dis-je. Même pas.

– Mais le troisième je suis en tôle, Lolita.

– Stéphanie. Merde, dès que je bouge moi j'envoie les gens en tôle. C'est paralysant. Un jour je m'en servirai de cette propriété pour faire une vacherie à quelqu'un qui me reviendra pas.

– Ben tout ça c'est bien dommage dit Thomas. Vous m'auriez inventé de sacrés numéros à toutes les deux. Parce que l'imagination ça se fait rare, et moi les bonnes femmes qui viennent se déshabiller devant tout le monde sans aucune raison ça me fatigue.

– Des idées ça te manque ? Des idées je peux peut-être t'en trouver sans aller plus loin.

– C'est pas bête. J'achète. Pourquoi tu travaillerais pas avec moi au fait ? Je bosse avec un type qui est en train de racheter toutes les boîtes de Paris. Je me cherche un petit brain-trust, public-relations, des gens un peu marrants...

Travaillerais. Travaillerais. Voilà quelque chose de nouveau, qui arrive, comme ça tout doux, au conditionnel.

★

Dix, d'idées de strip, je lui en ai trouvées, et dans un seul après-midi. Et au-dessus du niveau habituel, que je connais bien, parce que nous autres Jeunes Ménages c'est un de nos divertissements habituels : on va au strip. Ça se fait. C'est notre petit libertinage, avec filet. Fidèlement nôtres nos Jules, les yeux sur une belle paire de roberts étrangers. Une façon de rester prudes tout en se donnant des airs. Et surtout, sans conséquences. Bref, c'est juste pour dire que je suis en mesure de comparer.

Stéphanie de son côté en a trouvé aussi, dont un pour petite fille de onze ans, intitulé : comment expédier un con en tôle.

Mais ça nous a coûté cher.

★

– J'en ai une autre d'idée, dit-elle. Mais peut-être pas très public. Phèdre, sous la forme d'une petite fille de quinze ans, aimerait Socrate, sous la forme d'une jeune femme. Socrate n'aurait rien à faire, que laisser Phèdre faire ce qu'il veut...

– Si on allait se promener ?

– Ah non, j'en ai marre ! Je commence à avoir mal aux pieds, à force de se promener comme ça tout le temps ! Céline, je me révolte. Tu ne joues pas honnêtement. Car mon cher Socrate, peux-tu me dire où il est précisé que se laisser aimer ne s'entend que de loin ?

– Tu refuses d'aller te promener ?

– Oui.

– Troisième sommation.

– Je refuse d'aller me promener, Céline.

Voilà ce que ça nous a coûté.

Thomas a acheté les dix idées, et aussi celle de Stéphanie, je la ferai faire par une fausse mineure cela aura son charme. J'ai pris le chèque, qui n'était pas le Pérou mais existait, rédigé selon mon souhait au nom de Céline Rodes, et je l'ai porté à la banque pour ouvrir un compte sous cette rubrique. En regardant mes papiers on m'a demandé quel était ce nom d'Aignan. J'ai dit qu'il était à mon mari. On m'a dit que si j'étais mariée c'était différent, il me fallait une autorisation maritale.

J'ai dit que j'allais la chercher. Je suis allée dans une autre banque, avec mes vieux papiers d'avant, et j'ai ouvert un compte. Je ne savais pas qu'on était sous Napoléon. Comme adresse j'ai donné celle de Thomas, j'allais parfois chez lui. Madame est sortie à cinq heures.

En vérité Thomas et moi nous travaillons, surtout. J'ai trouvé plein d'idées pour son burlesque : des vrais numéros de western-surprise ; un tir au pistolet à air, entre les attractions de scène, avec comme prix le droit de boire avec Way Mest, la vedette, une énorme blonde, adorable, qui chante en fond de gorge. Et des tas d'autres trucs, il m'en sort sans arrêt, mon cerveau est une vraie fontaine. Quand j'aurai un peu plus de temps, je lui ferai du contact ; il me paiera au mois.

Quand j'aurai un peu plus de temps ? ...

– Céline, j'ai l'intention de t'ouvrir un large crédit. Je désirerais que tu t'achètes quelques robes, mais alors vraiment bien. Ne regarde pas au prix. Il me semble que tu négliges un peu cette question depuis quelque temps ; d'ailleurs ce n'est pas la seule mais passons, que tu aies engagé une femme de ménage pour seconder Juana c'est normal mais que le résultat ne soit pas tellement meilleur ce l'est moins, sans doute n'y veilles-tu pas assez, tu es tout le temps dehors, je ne sais pas ce que tu fabriques d'ailleurs, ni qui tu vois, mais bon, ce n'est pas de cela que je voulais t'entretenir. J'aimerais, donc, que tu t'habilles un peu. Va dans les collections.

– Mais ça m'emmerde, on voit que tu ne sais pas ce que c'est.

– Bon n'y vas pas, dit-il sans relever, mais trouve des robes convenables. Et puis, tu ne pourrais pas essayer d'aller chez un bon coiffeur ? Ces cheveux qui n'ont jamais repoussé, j'en ai pris mon parti tu m'as eu à l'usure, mais au moins arrange-les. Il y a des coiffeurs qui même avec quatre poils font des miracles. Demande à Elisabeth où elle va, tiens.

– Je le sais. On attend trois heures. Ça me rend folle.

– Il semble qu'en effet tu disposes de fort peu de temps. Du moins pour moi.

– Je voudrais travailler.

– Hein ? Mais pour quoi faire ? Il entre suffisamment d'argent dans cette maison, je n'ai pas besoin que ma femme travaille ! Et puis qu'est-ce que tu voudrais faire ? je ne te vois pas dans un bureau, on te mettrait à la porte au bout de huit jours, enfin qu'est-ce que c'est que cette fantaisie subite ! il est vrai, je devrais y être fait. Ce n'est jamais qu'une de plus j'ai tort de m'inquiéter. Quoi qu'il en soit il n'en est pas question, même comme fantaisie. Je vais avoir besoin de toi, moi. J'ai des projets.

– Lesquels ?

– Je te le dirai le moment venu. Ce n'est pas encore fait. Tout ce que je te demande pour l'instant, c'est de bien vouloir faire ce que je t'ai dit. C'est un service que j'attends de toi, tu peux me le rendre il me semble, c'est la moindre des choses.

« C'est la moindre des choses. » En échange de ce que moi, etc. Ils sont toujours au marché ces mecs-là. Eh bien puisque tout se paye :

– Mais Philippe moi je veux bien tout, seulement tu n'as pas l'air de te rendre compte du temps que prend la moindre course à Paris... Tu me reproches d'être tout le temps dehors, mais c'est aussi qu'une fois qu'on y est, on n'arrive parfois plus à rentrer ! Tu ne t'aperçois pas, toi avec une voiture...

Eh bien je l'ai eue. Ce n'était pas plus difficile que ça. Leur système d'échange, ça leur coûte un prix fou, en définitive. J'ai pris une Italienne.

Mais tout de même, c'est triste. Ça me donne un peu de mélancolie, tout ça. Allons boire un coup.

– Je vous y prends, Céline ! Flagrant délit de perversion de ma petite sœur. J'en entendais parler à la maison, mais je ne savais pas comment le processus se déroulait. Je vois, dit Bruno.

Ce qu'il voit c'est Stéphanie boire un coca et moi un pastis à la terrasse du Flore.

– Qu'est-ce qu'on dit, à la maison ?

– Oh, c'est à mots couverts. Ils couvrent tout. Mais on s'inquiète. Vous savez comme ils sont : soucieux de nos petites âmes. Celle de Stéphanie serait en grand danger. On aurait découvert certain journal intime...

– Oh ça c'est pas vrai j'en fais pas ! Je suis pas si bête !

– C'était un ballon d'essai. Et celle de Céline vire carrément au noir. Vous étiez aimée durant un moment, chère belle-sœur, et puis, depuis quelque temps...

– Je sais, je suis au courant, Philippe me le dit tous les jours. Il ne sait pas ce que j'ai.

– En tout cas votre cote baisse là-bas d'heure en heure, ce qui fait qu'elle remonte d'heure en heure chez moi. Je cherchais une occasion de vous le dire Céline ; c'est fait. Je peux m'asseoir ?

– J'avais cru remarquer que c'était déjà fait.

– Mais je suis bien élevé. Un pastis aussi. Céline, au départ vous m'aviez ébloui...

– Je cherchais l'occasion de vous féliciter de votre à-propos de ce jour-là. Vous ne me l'aviez pas donnée, on ne vous voit jamais Bruno.

– J'étais déçu.

– Je faisais mon boulot.

– Au Carmel, au Carmel ! Ah ce que c'était drôle. J'étais tranquille. Rassuré. Car je nourris depuis toujours un rêve cher, dit-il. Savez-vous quoi ?

On lui dit qu'on ne le savait pas.

– Voir l'Aîné cocu... N'ai-je pas surpris un regard entre vous ? Un regard entendu ? Ai-je bien compris ? Il l'est ? Si c'était le cas, ma délectation sera plus vive encore s'il devient député. Un député doit être cocu.

Voilà donc ce que c'était. Les projets. Les robes. Les largesses. Rien n'était trop beau évidemment pour une si haute entreprise. Je courus chez Balenciaga.

Le lendemain nous étions chez Dior. Et cætera. A demi-morts de rire sur les chaises des salons, Bruno et Stéphanie arbitraient : on édifiait une épouse de député. Ce monument coûta cher à Philippe, mais après tout ce n'était qu'un investissement, il serait remboursé.

– Ah te voilà enfin. Je commençais à être inquiet.

J'avais attendu trois heures que cette robe soit prête, dis-je ; ce n'était vrai qu'au tiers, le reste avait passé en joyeusetés. Une robe merveilleuse, de dîner, quatre cent mille. Eh bien justement c'est le moment de l'étrenner, dit-il.

Nous avions impromptu un dîner, du moins notre invitation l'était, obtenue sans doute au dernier moment par quelque intrigue. Un grand dîner (merde) très important dit Philippe, et à ce propos il fallait donc que je connusse (c'est le moment c'est l'instant) les Grands Projets fameux et jusque-là secrets, dont il serait peut-être parlé à table parce que maintenant c'était fait c'était Officiel (qu'est-ce qu'il se rengorgeait), et que je fusse en mesure de réagir, en fonction desdits, dans le sens de nos Intérêts Communs, respirez. Car si les choses allaient selon son attente, elles pouvaient aller fort loin, et il fallait que je me préparasse au rôle, tout à fait inespéré pour quelqu'un comme moi, où son ascension à lui allait peut-être m'élever. Je pouvais voir à l'intérieur de son crâne transparent se bousculer les espérances, il se voyait déjà ministre, président de la République, et à ses côtés je coupais des rubans et j'envoyais des bouteilles de champagne sur des porte-avions. Quelle vie, en effet. Enfin après toute cette montagne il accoucha de sa souris, et en considéra l'effet. Je demandai sous quelle étiquette. Il parut surpris de la question, qui nous ramenait sur des à-côtés dérisoires ; il nomma comme une évidence le parti de la majorité de ce temps-là.

– Mais je te croyais radical ?

Décidément j'étais sordide avec mon souci du détail trivial. Il consentit néanmoins à une explication :

– Ils étaient bien pendant un moment. Mais ils sont devenus trop irréalistes ; ils ont pris des positions fâcheuses ; ils ont perdu toutes leurs chances. Enfin peu importe tout ça, habille-toi vite. Fais-la voir, cette robe ? En effet elle est très bien. Elle ira.

– Quatre cent mille. Tandis que, toi, tu es réaliste ?

– Plaît-il ? Figure-toi Céline que si on veut

faire quelque chose il vaut mieux être là que pas là. Tu t'habilles ?

– Ça dépend quel quelque chose, on veut faire.

– Hein ?

– Si c'est des saloperies il vaut mieux ne pas y être. Si on a de la moralité.

– Ecoute Céline dépêche-toi au lieu de bavarder, je ne veux en aucun cas être en retard à ce dîner.

Evidemment il n'est pas tout à fait sûr que sa place soit marquée, ça s'est fait si vite, au dernier moment, il veut être là pour arranger le coup...

– En tout cas il y a une voix que tu n'auras pas. La mienne.

– Hein ?

Là il est franchement surpris. Il s'en arrête dans la cravate. J'étais ministresse, je coupais des rubans, il parlait au peuple, est-ce qu'il s'agissait de trucs comme des voix ?

– Eh bien tu peux en faire des papillotes. De toutes façons je ne me présente pas où tu votes – puisqu'il paraît que tu votes. Si on peut appeler ainsi vider ses querelles de ménage dans les urnes.

– Voyons Philippe. C'est juste que je ne vote pas de ce côté.

– Madame fait passer ses zzidées politiques avant ses sentiments. Madame n'est pas aux bottes de son mari.

– Voyons Philippe. Accorde tes violons. Ou on vide les querelles, ou on fait passer les idées...

oh et puis pourquoi je me casse la tête c'est sans espoir, ton cerveau fonctionne comme ça.

– Mon cerveau fonctionne très bien, merci.

– Absolument très bien. C'est un parfait cerveau bourgeois. Un vrai modèle du genre. Dans le fond je suis heureuse d'avoir eu la chance de pouvoir l'examiner de près. On ne perd jamais entièrement son temps dans le fond.

– Tu sais, je n'en suis plus à m'arrêter à toutes les énormités que tu sors, parce que...

– ... tu serais en retard à ce dîner qui les dépasse en importance.

– Exactement. J'ai autre chose à penser pour l'instant. J'ajouterai simplement que c'est une joie pour un homme d'avoir une femme qui le soutient ; et que ça vaut la peine de s'échiner pour te donner une existence brillante et facile, dont tu ne te gênes pas pour profiter du reste, dit-il en désignant d'un large geste l'ensemble de ma personne, Balenciaga vraies perles et grand coiffeur, dont il oublie (enfin, fait mine) qu'elle n'est ainsi troussée que sur son ordre et que s'il ne tenait qu'à moi...

– C'est pour moi que tu fais tout ça ? Cher Philippe !

– Enfin, tu en profites, comme je viens de te le dire ! Tu craches bien en paroles sur les « cerveaux bourgeois », mais non sur ce qui en sort ! Aie au moins la pudeur de te taire.

– Un dernier mot cependant, à ce propos justement : je dois te dire que je ne serai pas la femme d'un député de cette étiquette. Question d'honneur. Je veux t'avertir honnêtement.

– Du chantage. Et qu'est-ce que tu crois ? Que ça va faire quelque chose ? Alors écoute Céline, tu es libre de penser ce que tu veux – puisque tu penses – de ton côté, alors laisse-moi la même liberté s'il te plaît. Puisque tu te dis « démocrate ». Je fais ce que bon me semble, et toi tout ce que je te demande c'est de ne pas m'en empêcher, et entre autre pour l'instant de m'accompagner à ce dîner et de t'y comporter de façon convenable pour mes projets. J'espère que c'est bien compris.

Ce l'était. Je lui en donnai la preuve en déployant ce que j'ai de charme auprès des personnages que Philippe m'avait désignés comme important à sa carrière. Il sortit de là avec quatre invitations pour d'autres dîners, et surtout venez avec votre adorable femme ; et convaincu que les âcres paroles auparavant échangées étaient allées où vont toutes les paroles, dans l'oubli. De fort belle humeur était Philippe, et ravi de moi, au point de me le laisser voir. Il m'embrassa !

– Tu vois, quand je travaille. Ça rend. C'est peut-être aussi un peu la robe, elle est follement sexy, il n'y a que là qu'on obtient un résultat pareil, c'est bien un peu cher mais tu vois c'est pas perdu. Et j'ai trois rendez-vous pour la semaine prochaine !

– Quoi ? sursauta-t-il en grillant un feu rouge. Je sortis mon carnet, et lui indiquai les noms, les dates et les lieux, que j'y avais soigneusement inscrits. Et c'est pas de la petite bière tu vois : juste les plus utiles.

— Mais tu es folle ! Je ne t'ai pas demandé d'aller jusque-là !

— Je n'y suis pas allée c'est eux qui sont venus.

— Mais — et maintenant qu'est-ce que tu vas faire ?

— Je ferai ce que tu voudras Philippe : si tu me dis d'y aller j'irai, si tu me dis de ne pas y aller je n'irai pas.

— Mais Céline... es-tu inconsciente... ou tu le fais exprès... Tu me mets dans une situation...

Emmerdante, hein. Tralala. Moi je me marre, dans mon coin. On envoie sa femme putasser avec quatre cent mille balles sur le cul et puis après on voudrait que ce soit à la mesure et que ça s'appelle autrement. Maintenant il l'a dans le baba.

En fait j'ai été gentille. Je ne tenais pas à me farcir ces schnocks, et pour la gloire de Philippe encore. J'ai fait la coquette. On me prie. On me téléphone. Avec les heures que j'ai données c'est rare que Philippe soit pas là. Comme ça il peut entendre le trafic. Tout au grand jour. Après quand il s'absente comme obligé pour faire son petit travail préparatoire là-bas dans le bled, berceau de la famille, où on le présente, il a les jetons.

Il a grand tort. C'est pas de cette couenne-là que je consomme. S'il ne tient qu'à moi je ne vais pas y toucher même pas avec une gaffe. Non quand Philippe n'est pas là j'en profite moi, je travaille ; je passe mes soirées dans mon saloon, observant le résultat sur le public de mes idées ;

tâchant de les améliorer, et d'en trouver de nouvelles, je fais l'hôtesse, j'aide Thomas, qui d'autre part a engagé un pianiste très bon, très drôle, très imbibé, et grand amateur de musique ; avec qui on peut causer ; Nicolas et moi on a été choisir ensemble un enregistrement de la *Passion selon saint Jean.*

Dès qu'on sort du monde des bourgeois, on recommence à entrevoir des hommes.

– Je rentre, je trouve la maison vide. Je ne sais où te joindre. La bonne est sortie. J'attends. L'heure du dîner arrive et tu n'es toujours pas là. La bonne non plus. Je suis obligé d'aller dîner chez mes parents ! achève-t-il, à la pointe extrême de l'indignation.

– Si tu veux trouver tout prêt, il faut prévenir quand tu rentres. Il y a le téléphone ici. Je t'attendais demain.

– Prévenir pour rentrer chez moi ! Ah bien ce serait le comble.

– Mais si tu veux trouver tout prêt.

– D'ailleurs j'ai téléphoné. Personne. Et je dois attendre trois heures du matin pour te voir enfin ! savoir que tu es vivante ! Où étais-tu ?

– J'étais sortie.

– Explication un peu maigre. Et tu ne diras évidemment pas avec qui.

– Avec ton frère.

C'est d'ailleurs vrai.

— Mon frère maintenant. Après ma sœur, mon frère ! Et ça te fait rire !

— Mais Philippe c'est drôle !

— Ah oui, tu trouves ça drôle, toi ! La maison vide, la femme on ne sait où, et d'ailleurs quand je suis là c'est à peine différent, Madame a ses sorties, ses amis à elle — et ses activités spirituelles !

Là-dessus vole de ma table en vrac un tas de feuilles, par sa main balayées. Mes papiers ! Il a fouillé dans mes papiers !

— Tu as fouillé dans mes papiers !

— Eh quoi ? Tu as des secrets ?

— Vous, bourgeois ! poli sur le dessus, et la pire muflerie en dedans. Vous êtes dégueulasses.

Je me baisse pour ramasser mes pages. Je tente de les remettre en ordre. Je m'efforce au calme. D'ailleurs je ne suis pas en colère. Je suis dans un état bizarre. Quelque chose se passe.

— Oh ça vaut la peine de se baisser, dit-il, de là-haut, lui le gentleman resté debout dans toute sa grandeur. 1 m 82, blond, yeux gris, nez moyen bouche moyenne, menton légèrement empâté. Oh ça vaut la peine ! quel talent, quel génie ! Je ne savais pas que je vivais à côté d'un prodige, ah ah ! métaphysique et strip-tease ! Ma pauvre fille ! Je te conseille de t'adresser à ce type, tu sais, qui s'est fait une spécialité de publier les graphomanes des asiles. Tu irais très bien là-dedans.

Une larme est tombée sur le Dictionnaire. J'attends. Il n'en vient pas d'autre. Ce doit être la dernière. Devant mon nez je vois les pieds de Philippe. Je leur souris.

– Te casse pas Philippe Aignan ça ne fonctionne plus. La seule chose qui me chiffonne là-dedans c'est ton indiscrétion.

– Que veux-tu ma chère amie quand on se trouve seul à la maison, dans Sa maison...

C'est drôle, ils ne comprennent jamais quand c'est vraiment grave. Il continue de babiller.

– ... qu'on attend, sans rien avoir à faire ; que les heures passent... il faut bien trouver à s'occuper... on est tenté... Qu'on se demande où est sa femme... on en vient fatalement à se demander qui elle est... cette étrangère... qu'on a chez soi.

– Tu ne te l'étais jamais demandé avant ?

– Enfin Céline vas-tu me dire ? Qu'est-ce que tu as ? Qu'est-ce qui t'arrive ? Je ne te reconnais plus, qu'est-ce que tu as depuis quelque temps ?

– Je vis.

– Tu quoi ?

– Je vis Philippe rien de plus. Et c'est ça qui te dérange.

– Evidemment, si tu vis en dehors de moi !

– Mais mon cher amour, c'est qu'avec toi, je meurs.

CE qu'il y a de bien au Carmel, c'est Dieu. Dieu, du moins, est parfait. C'est sa définition. Et, dès l'instant qu'on l'accepte, on peut s'abandonner sans crainte, ce ne peut être que vers le haut. Aussi haut et pas plus que la définition que l'on tient de la perfection le permet ; mais, enfin, vers le haut. Tandis que si l'on s'abandonne à une Créature, où on va ?

L'amour profane, c'est de la merde.

– Céline, tout de même...

– Bon, la formulation manque de nuance. Je suis encore sous le coup. Mais c'est vrai.

– Pourtant Céline, moi qui t'aime...

– J'espère Stéphanie que ce n'est pas moi que tu aimes, mais à travers moi.

– Quoi à travers toi ?

– Nous ne savons pas, quoi. Et c'est bien mieux ainsi. Peut-être, un jour, on le saura. C'est dans cette espérance qu'on vit.

« Mon cher Philippe,

« Tu m'as invitée au Carmel. Je t'ai suivi. Je m'en suis remise à toi. C'était te faire une bien grande confiance. Et, de ma part, c'était très étourdi. Je crains mon cher Philippe que tu ne te sois un peu pris pour un Autre. Abandonnée dans tes mains je n'ai fait que descendre. Un homme ne fait pas un Carmel. Alors, un député !... Ainsi que je t'en ai averti à temps, je ne serai pas même une heure la femme d'un député de cette étiquette.

« Tu es élu, je te félicite, et je te quitte.

« Je ne vois pas que tu aies à souffrir de la perte d'une personne dont tu n'aimais rien, sauf la défaite, c'est donc avec sérénité que j'abandonne cette maison, sûre de n'y point laisser de larmes. Au reste tes succès te guériront de tout. Pour moi, je pars sans regrets : ce n'était pas du temps perdu ; grâce à toi, par les hasards de l'amour, j'ai pu approcher la Machine, dont tu es à la fois un rouage inconscient, et un exécuteur, et qui est, pour nous qui respirons encore, un instrument de mort. Il importe de la connaître, d'observer comment elle opère, afin de pouvoir s'en défendre, et se garder en vie. Merci d'avoir été cette occasion Philippe, je ne sais pas pourquoi je t'ai aimé, mais ce ne fut pas en vain, tu m'as livré des clés dont je saurai me servir. Merci.

« Pour les modalités pratiques, Maître Martineau se mettra en rapport avec toi. Votre protocole veut je crois qu'un homme de ta position prenne les torts, afin de préserver un honneur indispensable à sa carrière, et tout particulièrement à celle où tu t'engages ; aussi, bien qu'ils soient tous à moi, je suis disposée à t'en laisser le privilège. Si cependant ton irritation l'emportait sur tes intérêts, je serais prête, le dissentiment politique n'étant point reconnu par le Code Napoléon, à produire en abondance tout ce qui serait légalement nécessaire.

« J'ai pris quelques objets personnels, que j'estime avoir gagnés, et sur lesquels la Séparation ne joue pas. Je te laisse par contre les robes destinées à la députée, dont je n'aurai jamais l'usage ; elles pourront servir.

« Céline Rodes.

« P.-S. – Ton dîner est prêt »

– Où la laisses-tu ?

– Dans le frigo. C'est là qu'ils vont.

– Je le vois d'ici, dit Bruno ; le Retour de l'Elu, par Courbet. Revêtu de gloire et de chagrin d'amour. Souriant à son peuple et pleurant son foyer.

– De chagrin ? Tu ne le connais pas bien ! Il n'aura qu'un cri Philippe : La Putain ! Ah si j'avais su !

– Qu'elle n'était qu'une grue !

– J'l'aurais fait passer par l'trou des goguenots !

« Ah, toi, que j'aimais tant
J't'emmerde, j't'emmerde,
Ah toi, que j'aimais tant,
J't'emmerde à présent ! »

Là-dessus je crois que je peux fermer ce piano, ce sera son chant d'adieu.

– Dommage, dit Stéphanie, c'était un très joli piano.

– Il faut des sacrifices.

– Alors je peux prendre les valises ? dit Bruno. Pas d'ultime regret ?

Elles m'ont dit, toutes ces bonnes âmes, effrayées, craintives : réfléchis bien, as-tu bien réfléchi, es-tu sûre, es-tu bien sûre, que tu ne fais pas une bêtise, tu vas te retrouver toute seule, et tes vieux jours. Et si tu tombes malade. Et si. Et si. Elles m'ont dit Dans tous les ménages il y a des crises c'est connu, la crise des trois ans, la crise des cinq ans, la crise des dix ans, des vingt-cinq ans, des quarante ans, on passe dessus, ça s'arrange avec le temps. J'en suis sûre que ça s'arrange avec le temps c'est bien le pire. Mais leur ai-je dit avez-vous avec le vôtre des divergences politiques ? Toute la question est là.

– Mon dieu que cet appartement était donc laid. Et je suis l'auteur de ce désastre. Qu'est-ce que j'avais donc.

– Tu aimais.

– Ce ne devait pas être ça. Ce devait être autre chose. Ça devrait porter un autre nom. Lequel ?

Je vais chercher. Allons, il faut tout de même que j'aille voter.

– Et s'il n'était pas élu ce soir ?

– Bah. Je ne vais pas m'amuser à défaire ces valises, c'est bien trop ennuyeux.

– Céline... dit Bruno.

– C'est trop lourd ?

– Non. C'est léger.

– J'ai pris le minimum.

– Ce n'est pas ce que je veux dire.

Cinq étages. J'en ai gagné un depuis que j'ai quitté cette maison, mon ancienne chambre n'était pas libre. Voici la porte. Je la regarde. On ne sait pas ce qu'on trouvera derrière une porte.

– Céline, dit Bruno en s'asseyant sur les valises, tu sais ce qui m'arrive ?

– Tu es fatigué.

– Non, je suis amoureux.

– Mon Dieu ! gémit Stéphanie en s'asseyant aussi.

– Il n'est jamais mauvais de toute façon de s'asseoir et de considérer le monde un instant, dis-je en faisant de même. Quel qu'il soit.

– Considérons, dit Bruno.

– Nous avons tout le temps, dis-je.

– J'aime la vie, dit Stéphanie.

– Nous avons tout le temps.

Demain, après-demain, et l'éternité. Mais à présent mes amis vous allez me laisser. Me laisser. Laisser entrer chez moi. On ne sait pas ce qu'on trouvera derrière une porte.

Je la referme derrière moi. Je m'adosse contre. Je suis là. Je regarde.

Je respire.

Enfin. Seule.

FIN

ŒUVRES DE CHRISTIANE ROCHEFORT

Aux Éditions Bernard Grasset :

LE REPOS DU GUERRIER.
LES STANCES A SOPHIE.
LES PETITS ENFANTS DU SIÈCLE.
PRINTEMPS AU PARKING.
UNE ROSE POUR MORRISON.
C'EST BIZARRE L'ÉCRITURE.
ARCHAOS OU LE JARDIN ÉTINCELANT.
ENCORE HEUREUX QU'ON VA VERS L'ÉTÉ.

IMPRIMÉ EN FRANCE PAR BRODARD ET TAUPIN
7, bd Romain-Rolland - Montrouge - Usine de La Flèche.
LE LIVRE DE POCHE - 22, avenue Pierre 1er de Serbie - Paris.
ISBN : 2 - 253 - 00906 - 7

Le Livre de Poche illustré

Série Art

Burckhardt (Jacob).
La Civilisation de la Renaissance en Italie, t. 1, 2001/3; t. 2, 2002/1; t. 3, 2003/9.
Cachin (Françoise).
Gauguin, 2362/9.
Clark (Kenneth).
Léonard de Vinci, 2094/8.
Le Nu, t. 1, 2453/6; t. 2, 2454/4.
Faure (Élie).
Histoire de l'Art :
1. L'Art antique, 1928/8.
2. L'Art médiéval, 1929/6.
3. L'Art renaissant, 1930/4.
4. L'Art moderne, t. 1, 1931/2.
5. L'Art moderne, t. 2, 1932/0.
L'Esprit des Formes, t. 1, 1933/8; t. 2, 1934/6.
Fermigier (André).
Picasso, 2669/7.
Focillon (Henri).
L'Art d'Occident :
1. Le Moyen Age roman, 1922/1.
2. Le Moyen Age gothique, 1923/9.
Friedländer (M. J.).
De l'art et du connaisseur, 2598/8.
Fromentin (Eugène).
Les Maîtres d'autrefois, 1927/0.
Golding (John).
Le Cubisme, 2223/3.
Gombrich (E. H.).
L'Art et son histoire, t. 1, 1986/6; t. 2, 1987/4.
Guinard (Paul).
Les Peintres espagnols, 2096/3.
Laude (Jean).
Les Arts de l'Afrique Noire, 1943/7.
Levey (Michaël).
La peinture à Venise au XVIIIe siècle, 2097/1.
Mâle (Émile).
L'Art religieux du XIIIe siècle, t. 1, 2407/2; t. 2, 2408/0.
Passeron (René).
Histoire de la Peinture surréaliste, 2261/3.
Pevsner (Nikolaus).
Génie de l'Architecture européenne, t. 1, 2643/2; t. 2, 2644/0.
Read (Herbert).
Histoire de la Peinture moderne, 1926/2.
Rewald (John).
Histoire de l'impressionnisme, t. 1, 1924/7; t. 2, 1925/4.
Richards (J.-M.).
L'Architecture moderne, 2466/8.
Sullivan (Michaël).
Introduction à l'art chinois, 2343/9.
Teyssèdre (Bernard).
L'Art au siècle de Louis XIV, 2098/9.
Vallier (Dora).
L'Art abstrait, 2100/3.
Wolfflin (H.).
Renaissance et Baroque, 2099/7.

Série Planète

Albessard (N.).
D'où vient l'humanité, 2619/2.
Alleau (René).
Les Sociétés secrètes, 2599/6.
Mahé (André).
Les Médecines différentes, 2836/2.
Martin (Charles-Noël).
Le Cosmos et la Vie, 2822/2.
Nord (Pierre) et Bergier (Jacques).
L'Actuelle Guerre secrète 2672/1.
Sprague de Camp (L. et C.).
Les Énigmes de l'Archéologie, 2660/6.

Série Histoire *dirigée par Gilbert Guilleminault*

Le roman vrai de la IIIe République
La France de la Madelon, 1711/8.

Le roman vrai du demi-siècle
Du premier Jazz au dernier Tsar, 2351/2.
De Charlot à Hitler, 2352/0.
La Drôle de Paix, 2579/8.

Le roman vrai de la IVe République
Les lendemains qui ne chantaient pas, 2722/4.
La France de Vincent Auriol, 2758/8.

Encyclopédie Larousse de poche

Bouissou (Dr R.).
Histoire de la Médecine, 2294/4.
Cazeneuve (Jean).
L'Ethnologie, 2141/7.
Friedel (Henri).
Les Conquêtes de la vie, 2285/2.
Galiana (Thomas de).
A la Conquête de l'espace, 2139/1.

Muller (J.-E.).
L'Art au XXe siècle, 2286/0.

Perrin (Michel).
Histoire du Jazz, 2140/9.

Tocquet (Robert).
L'Aventure de la Vie, 2295/1.

Histoire universelle Larousse de poche

Lafforgue (Gilbert).
La Haute Antiquité (des origines à 550 av. J.-C.), 2501/2.
van Effenterre (Henri).
L'Age grec (550-270 av. J.-C.), 2314/0.
Rouche (Michel).
Les Empires universels (IIe s.-IVe s.), 2312/4.
Lévêque (Pierre).
Empires et Barbaries (IIIe s. av. J.-C.-Ier s. ap.), 2317/3.
Riché (Pierre).
Grandes Invasions et Empires (Ve s.-Xe s.), 2313/2.
Guillemain (Bernard).
L'Éveil de l'Europe (An mille à 1250), 2550/9.

Favier (Jean).
De Marco Polo à Christophe Colomb (1250-1492), 2310/8.
Morineau (Michel).
Le XVIe siècle (1492-1610), 2311/6.
Pillorget (Suzanne).
Apogée et Déclin des Sociétés d'ordres (1610-1787), 2529/3.
Dreyfus (François).
Le Temps des Révolutions (1787-1870), 2315/7.
Jourcin (Albert).
Prologue à notre siècle (1871-1918), 2316/5.
Thibault (Pierre).
L'Age des dictatures (1918-1947), 2578/0.
Le Temps de la contestation (1947-1969), 2689/5.

Le Livre de Poche policier

Alexandre (P.), Maïer (M.).
** *Genève vaut bien une messe,* 3389/1.
Alexandre (P.), Roland (M.).
* *Voir Londres et mourir,* 2111/0.
Allain (M.), Souvestre (P.).
** *Fantômas,* 1631/8.
** *Juve contre Fantômas,* 2215/9.
** *Fantômas se venge,* 2342/1.
Behn (Noël).
** *Une lettre pour le Kremlin,* 3240/6.
Boileau-Narcejac.
* *A cœur perdu,* 2328/0.
Bommart (Jean).
* *Le Poisson chinois,* 2124/3.
* *Bataille pour Arkhangelsk,* 2792/7.
* *Le Poisson chinois a tué Hitler,* 3332/1.
** *La Dame de Valparaiso,* 3429/5.
* *Le Poisson chinois et l'homme sans nom,* 3946/8.
Breslin (Jimmy).
** *Le Gang des cafouilleux,* 3491/5.
Buchan (John).
* *Les 39 marches,* 1727/4.
*** *Le Camp du matin,* 3212/5.
Cain (James).
** *Assurance sur la Mort,* 1044/4.
Calef (Noël).
* *Ascenseur pour l'Échafaud,* 1415/6.
Carr (J. Dickson).
* *La Chambre ardente,* 930/5.
Charteris (Leslie).
* *Le Saint à New York,* 2190/4.
* *Le Saint et l'Archiduc,* 2376/9.
* *Le Saint à Londres,* 2436/1.
* *Le Saint et les Mauvais Garçons,* 2393/4.
* *Les Anges des Ténèbres,* 3121/8.
* *Les Compagnons du Saint,* 3211/7.
* *Le Saint contre Teal,* 3255/4.
* *La Marque du Saint,* 3287/7.
* *Le Saint s'en va-t-en guerre,* 3318/0.
* *Le Saint contre Monsieur Z,* 3348/7.
* *En suivant le Saint,* 3390/9.
* *Le Saint contre le marché noir,* 3415/4.
* *Le Saint joue et gagne,* 3463/4.
* *Mais le Saint troubla la fête,* 3505/2.
* *Le Saint au Far-West,* 3553/2.
* *Le Saint, Cookie et Cie,* 3582/1.
* *Le Saint conduit le bal,* 3612/6.
** *On demande le Saint,* 3644/9.
** *Le Saint s'amuse,* 3660/5.
* *Le Saint ramène un héritier,* 3836/1.
** *Le Saint et les femmes,* 3870/0.
* *Quand le Saint s'en mêle,* 3895/7.
* *La Loi du Saint,* 3945/0.
** *Le Saint ne veut pas chanter,* 3973/2.
** *Le Saint et le canard boiteux,* 4023/5.
Cheyney (Peter).
* *Cet Homme est dangereux,* 1097/2.
Christie (Agatha).
** *Le Meurtre de Roger Ackroyd,* 617/8.
** *Dix Petits Nègres,* 954/5.
** *Les Vacances d'Hercule Poirot,* 1178/0.
** *Le Crime du Golf,* 1401/6.
** *Le Vallon,* 1464/4.
** *Le Noël d'Hercule Poirot,* 1595/5.
** *Le Crime de l'Orient-Express,* 1607/8.
** *A. B. C. contre Poirot,* 1703/5.
** *Cartes sur table,* 1999/9.
Conan Doyle (Sir Arthur).
*** *Sherlock Holmes : Étude en Rouge* suivi de *Le Signe des Quatre,* 885/1.
** *Les Aventures de Sherlock Holmes,* 1070/9.
** *Souvenirs de Sherlock Holmes,* 1238/2.
** *Résurrection de Sherlock Holmes,* 1322/4.
* *La Vallée de la peur,* 1433/9.
** *Archives sur Sherlock Holmes,* 1546/8.
* *Le Chien des Baskerville,* 1630/0.
* *Son dernier coup d'archet,* 2019/5.
* *Les Aventures du Brigadier Gérard,* 3316/4.
Conan Doyle (A.) et Carr (J. D.).
** *Les Exploits de Sherlock Holmes,* 2423/9.
Deighton (Len).
** *Mes funérailles à Berlin,* 2422/1.
** *Neige sous l'eau,* 3566/4.
Dominique (Antoine).
** *Trois gorilles,* 3181/2.
** *Gorille sur champ d'azur,* 3256/2.

Exbrayat (Charles).
* *La Nuit de Santa Cruz,* 1434/7.
* *Olé!... Torero!,* 1667/2.
* *Dors tranquille, Katherine,* 2246/4.
* *Vous manquez de tenue, Archibald!,* 2377/7.
* *Les Messieurs de Delft,* 2478/3.
* *Le dernier des salauds,* 2575/6.
* *Les Filles de Folignazzaro,* 2658/0.
* *Pour Belinda,* 2721/6.
* *Des Demoiselles imprudentes,* 2805/7.
* *Barthélemy et sa colère,* 3180/4.
* *Le Voyage inutile,* 3225/7.
* *Une petite morte de rien du tout,* 3319/8.
* *Les Dames du Creusot,* 3430/3.
* *Mortimer! comment osez-vous?* 3533/4.
* *Des filles si tranquilles,* 3596/1.
* *Il faut chanter, Isabelle,* 3871/8.
* *Le Clan Morembert,* 4008/6.

Gaboriau (Émile).
** *L'Affaire Lerouge,* 711/9.

Hardwick (Michael et Mollie).
** *La Vie privée de Sherlock Holmes,* 3896/5.

Hart (F. N.).
** *Le Procès Bellamy,* 1024/6.

Highsmith (Patricia).
** *L'Inconnu du Nord-Express,* 849/7.
** *Plein Soleil (Mr. Ripley),* 1519/5.
** *Le Meurtrier,* 1705/0.
** *Eaux profondes,* 2231/6.
** *Ce mal étrange,* 3157/2.
** *Jeu pour les vivants,* 3363/6.
** *L'Homme qui racontait des histoires,* 3583/9.
** *L'Empreinte du faux,* 3944/3.

Hitchcock (Alfred).
** *Histoires abominables,* 1108/7.
** *Histoires à ne pas lire la nuit,* 1983/3.
** *Histoires à faire peur,* 2203/5.

Leblanc (Maurice).
** *Arsène Lupin, gentleman cambrioleur,* 843/0.
** *A. Lupin contre Herlock Sholmes,* 999/0.
** *La Comtesse de Cagliostro,* 1214/3.
** *L'aiguille creuse,* 1352/1.
** *Les Confidences d'A. Lupin,* 1400/8.
** *Le Bouchon de cristal,* 1567/4.
** *Huit cent treize (813),* 1655/7.
** *Les huit coups de l'horloge,* 1971/8.
* *La Demoiselle aux yeux verts,* 2123/5.
* *La Barre-y-va,* 2272/0.
** *Le Triangle d'Or,* 2391/8.
** *L'Ile aux trente cercueils,* 2694/5.
** *Les Dents du Tigre,* 2695/2.
** *La Demeure mystérieuse,* 2732/3.
** *L'Éclat d'obus,* 2756/2.
* *L'Agence Barnett et Cie,* 2869/3.
** *La Femme aux deux sourires,* 3226/5.
** *Victor, de la Brigade mondaine,* 3278/6.
** *La Cagliostro se venge,* 3698/5.

Le Breton (Auguste).
* *Le Rouge est mis,* 3197/8.

Leroux (Gaston).
** *Le Fantôme de l'Opéra,* 509/7.
*** *Le Mystère de la Chambre Jaune,* 547/7.
*** *Le Parfum de la Dame en noir,* 587/3.
*** *Rouletabille chez le Tsar,* 858/8.
* *Le Fauteuil hanté,* 1591/4.
* *Le Cœur cambriolé* suivi de *L'Homme qui a vu le diable,* 3378/4.
* *L'Homme qui revient de loin,* 3470/9.
** *Le Château noir,* 3506/0.
** *Les Étranges noces de Rouletabille,* 3661/3.
** *Rouletabille chez Krupp,* 3914/6.

LES AVENTURES DE CHÉRI-BIBI :
*** *Les Cages flottantes,* 4088/8.
*** *Chéri-Bibi et Cécily,* 4089/6.
*** *Palas et Chéri-Bibi,* 4090/4.
*** *Fatalitas!,* 4091/2.
*** *Le coup d'État de Chéri-Bibi,* 4092/0.

Macdonald (Ross).
** *L'Homme clandestin,* 3516/9.

Malet (Léo).
* *Brouillard au Pont de Tolbiac,* 2783/6.
* *L'Envahissant Cadavre de la Plaine Monceau,* 3110/1.
* *M'as-tu vu en cadavre?,* 3330/5.
** *Pas de bavards à La Muette,* 3391/7.
* *Fièvre au Marais,* 3414/7.
* *La Nuit de St-Germain-des-Prés,* 3567/2.
* *Corrida aux Champs-Élysées,* 3597/9.
* *Boulevard... ossements,* 3645/6.
* *Les Rats de Montsouris,* 3850/2.
** *Casse-pipe à la Nation,* 3913/8.
** *Les Eaux troubles de Javel,* 4024/3.

Nord (Pierre).
* *Double crime sur la ligne Maginot,* 2134/2.
* *Terre d'angoisse,* 2405/6.
* *La Nuit des Karpathes,* 2791/9.
* *Rendez-vous à Jérusalem,* 3109/3.
** *L'Espion de la Première Paix mondiale,* 3179/6.
** *Le Guet-Apens d'Alger,* 3303/2.

Le Livre de Poche pratique

I. ENFANTS, FEMMES, INFORMATION SEXUELLE, SANTÉ

Armelin (Dr Gisèle)
*** **Les Médecines naturelles,** 4011/0.

Bertrand (P.), Lapie (V.), Pellé (Dr J.-C.).
** **Dictionnaire d'information sexuelle;** 3646/4.

École des Parents.
*** **Les Difficultés de votre enfant,** 3977/3.

Lamiral (S.) et Ripault (C.).
*** **Soins et beauté de votre enfant,** 3701/7.

Dr Levrier (M.) et Dr Roux (G.).
** **Dictionnaire intime de la femme,** 3536/7.

Pernoud (Laurence).
*** **J'attends un enfant,** 1938/7 *(épuisé).*
**** **J'élève mon enfant,** 3281/0 *(épuisé).*

Vaysse (André).
** **Mon enfant entre en sixième,** 3960/9.

II. MODES, BEAUTÉ

Coulon (M.) et La Villehuchet (M. F.).
*** **Guide du crochet,** 2808/1.

La Villehuchet (M. F. de).
** **Guide du tricot,** 1939/5.
*** **Guide de coupe et couture,** 2265/4.

Périer (Anne-Marie).
** **Belles, belles, belles,** 2410/6.

Treskine (H.) et La Villehuchet (M. F.).
*** **Guide de la beauté,** 2683/2.

III. CUISINE

Académie des Gastronomes.
**** **Cuisine française,** 3659/7.

Dumay (Raymond).
**** **Guide du vin,** 2769/5.

Maine (Monique).
** **Cuisine pour toute l'année,** 2611/9.

Mathiot (Ginette).
*** **La cuisine pour tous,** 2290/2.
*** **La pâtisserie pour tous,** 2302/5.
** **Cuisine de tous les pays,** 1940/3.

Pomiane (Édouard de).
* **Cuisine en 10 minutes,** 3320/6.

Toulouse-Lautrec (Mapie de).
*** **La cuisine de Mapie,** 2711/7.

IV. MAISON, JARDIN, ANIMAUX DOMESTIQUES

Aurières (Marcelle et Albert).
* **100 Façons de recevoir,** 3630/8.

Chappat (D.).
* **Dictionnaire du nettoyage,** 1944/5.
** **Éclairage et décoration,** 2242/3.
** **150 bonnes idées pour votre maison,** 2306/6.

Doussy (Michel).
*** **L'outillage du Bricoleur,** 3590/4.

Dumay (Raymond).
*** **Guide du jardin,** 2138/3.
** **Les Jardins d'agrément,** 2253/0.

Duvernay (J.-M.) et Perrichon (A.).
**** **Fleurs, fruits, légumes,** 2526/9.

Gardel (Janine).
** **Le bricolage dans votre appartement,** 2101/1.

Marsily (Marianne).
** **1 000 idées de rangement,** 2452/8.

Méry (Fernand).
*** **Le Guide des chats,** 3182/0.

Roucayrol (Georges W.).
*** **Le Livre des chiens,** 3214/1.

V. SPORTS, LOISIRS, JEUX, PHOTOGRAPHIE, CHIROLOGIE

Benard (Serge).
*** **Le Caravaning : Le Guide complet du caravanier,** 3874/2.

Duborgel (Michel).
** **La pêche en mer et au bord de la mer,** 2254/8.
** **La pêche et les poissons de nos rivières,** 2303/3.
* **La pêche au coup,** 2577/2.
* **La pêche au lancer,** 3116/8.

Dunne (Desmond).
** **Yoga pour tous,** 3837/9.

Libourel (C.) et Murr (P.).
** **La Natation,** 3893/2.

Méric (Philippe de).
** **Le yoga pour chacun**, 2514/5.
* **L'ABC du yoga**, 3404/8.
** **Yoga sans postures**, 3629/0.
Merrien (Jean).
** **Naviguez ! sans voile**, 2276/1.
*** **Naviguez ! à la voile**, 2277/9.
Monge (Jacqueline) et Villiers (Hélène).
** **Le bateau de plaisance**, 2515/2.
Nadaud (Jérôme).
**** **Guide de la chasse**, 2305/8.
Prévention routière.
Le Permis de conduire, 4086/2.
XXX
** **En pleine forme avec 10 minutes de gymnastique par jour**, 2500/4.
Aveline (Claude).
**** **Le Code des jeux**, 2645/7.
Berloquin (Pierre).
* **Jeux alphabétiques**, 3519/3.
* **Jeux logiques**, 3568/0.
* **Jeux numériques**, 3669/6.
* **Jeux géométriques**, 3537/5.
** **Testez votre intelligence**, 3915/3.
Diwo (François).
** **100 Nouveaux Jeux Vacances**, 3917/9.
Grandjean (Odette).
** **100 Krakmuk et autres jeux**, 3897/3.
La Ferté (R.) et Remondon (M.).
* **100 Jeux et problèmes**, 2870/1.
La Ferté (Roger) et Diwo (François).
* **100 nouveaux jeux**, 3347/9.
Le Dentu (José).
*** **Bridge facile**, 2837/0.
Seneca (Camil).
**** **Les Échecs**, 3873/4.
Boubat (Édouard).
** **La Photographie**, 3626/6.
Bovis (Marcel) et Caillaud (Louis).
** **Initiation à la photographie noir et couleur**, 3668/8.
Rignac (Jean).
** **Les lignes de la main**, 3580/5.

VI. DICTIONNAIRES, MÉTHODES DE LANGUES (Disques, Livres), OUVRAGES DE RÉFÉRENCES

Berman-Savio-Marcheteau.
*** **Méthode 90 : Anglais**, 2297/7 (Livre).

Méthode 90 : Anglais, 3472/5. (Coffret de disques. **Prix : 130 F**).

Donvez (Jacques).
*** **Méthode 90 : Espagnol**, 2299/3 (Livre).

Méthode 90 : Espagnol, 3473/3. (Coffret de disques. **Prix : 130 F**).

Jenny (Alphonse).
*** **Méthode 90 : Allemand**, 2298/5 (Livre).

Méthode 90 : Allemand, 3699/3. (Coffret de disques. **Prix : 130 F**).

Fiocca (Vittorio).
*** **Méthode 90 : Italien**, 2684/6.

Dictionnaires Larousse

**** **Larousse de Poche**, 2288/6.
**** **Français-Anglais, Anglais-Français**, 2221/7.
**** **Français-Espagnol, Espagnol-Français**, 2219/1.
**** **Français-Allemand, Allemand-Français**, 2220/9.
**** **Français-Italien, Italien-Français**, 2218/7.
XXX Atlas de Poche, 2222/5.
Georgin (René).
** **Guide de Langue française**, 2551/7.
Renty (Ivan de).
**** **Lexique de l'anglais des affaires**, 3667/0.

30/2801/6